一生使える「自

きみは

マシュー・サイド

竹中てる実 訳
伊沢拓司 日本語版序文／解説
福田とおる イラスト

スゴイ

YOU ARE AWESOME

ぜ！

飛鳥新社

**今、できないこと、
わからないことがあって悩んでいるなら、
この本を開いたきみは正解だ。**

勉強がうまくなりたい。足が速くなりたい。

歌がうまくなりたい。

キレキレのダンスを踊りたい。

もしくは、何もしたくない……。

**「こうなりたい」
と思う自分がいるのなら、
この本はきっと、
いちばん最初に読むべき教科書だ。**

迷わず、ページを開いてみて。

CONTENTS

はじめに
スゴイ子になるためのすべて

何かをすごくうまくなるのって、きみが思ってるほど難しくないよ。
本当はだれだって、ほとんど何でも、
今よりずっと上手になれるんだ。

でも、きみは忙しい、そうだろう？

ムリもないよ。やらなきゃいけないことがいっぱいある——スポーツに趣味、友だちとも遊ばなくちゃいけないし、それから宿題も……。ひととおりこなすだけでも難しい。ぜんぶ人に負けたくないと思ったらもっと大変だ！

そこでこの本の出番なんだ。この本には、どうやったらふつうの子がスゴイ子になれるのか——スポーツでも仕事でも、自分がキワめたいことで最高の結果を出せた人だけが知っている、とっておきの方法が書かれている。

　テストでラクラクといい点ばかり取る友だちがいる、憎たらしい_{にく}ほどテニスがうまいお兄さんがいる、あるいは、**自分は何がいちばん得意なのかさえよくわからない──そんなきみのためにこそ、この本はあるんだ。**

　どんなことが書かれているかって？　次のような話だ。

○うまくいく人の「マインドセット」（心の持ち方というか、思考回
　路みたいもの。これがとても大事）

○新しいスキルを身につけるときの「脳の仕組み」

○自信を持つ方法（そう、方法があるんだ）

○せっかくの潜在能力をフルに発揮するための「人生戦略」

○「生まれつき才能がなければ一流にはなれない」という神話を
　ぶちこわす話

○とびきりの成功者（有名人とか）が、失敗しまくりながら、どう
　やって頂点をキワめたかという実話

　こんな感じで、とっておきの話や貴重なアドバイスをいっぱい紹介する。それを読むだけで、**きみが最高の自分になって輝くために必要なノウハウが身についてしまうんだ。**

そんなわけで、きみにチャレンジする気持ちがあるなら、今すぐ始めよう！

もしきみが——ユーチューバーやピアニスト、物理学者、テニス選手、アイドル、深海ダイバー、心臓外科医、総理大臣、プログラマー、秘密情報部員、サッカー選手、数学者、考古学者、教師、配管工、弁護士、バリスタ、シェフ、マンガ家、犬のトリマー、バスケットボール選手、ロックスター、宇宙飛行士、はたまたチーズスプレーヤー（ポップコーンにチーズをスプレーする人）——になりたいなら、グズグズしてるヒマなんかないからね（最後のについては、え？　と思うかもしれないけど、これだって仕事だ。やるからにはトップを目指すほうがいい）。

あ、ちなみに、クラスで数学がいちばんの子、ピアノがものすごくうまい子……もし彼らが「ぜんぜん練習や勉強をしてないよ」と言っても信じちゃいけない。たぶんウソだからね……。

自撮りの名人だってひとりでこっそり練習しまくってる。絶対に。

YOU ARE AWESOME

CHAPTER
1

ふつうの子が
スゴイ子になる方法、
知りたい？

ここでちょっと、ごくふつうの子を思いうかべてみよう。ごくふつうのある町はずれの、ごくふつうの通りに住んでいる。もうこの先は、想像がつくよね。

ふつうの子Aくんは、週末になるとたぶん友だちとショッピングモールをブラブラして、それからふつうの家へ帰ってふつうの夕飯を食べる。そう、きみが思うとおり、どこまでもふつうだ……。

この町出身で有名になった人──つまりこの地域で生まれ育って、のちに世界を変えるようなでっかいことを成しとげた人──はほとんどいない。テレビの天気予報士になった人と、ドラム式乾燥機（かんそう）の重要な部品を発明したという人がいただけ。はっきり言って、あくびが出るほど退屈（たいくつ）で平凡（へいぼん）な町なんだ。

じゃあ、**なんでそんな町の話から始めるの?**ってきみは思うだろう。2段ベッドがあるふつうの部屋で暮らすふつうの子を取りあげるはなぜ? ってね。

ポイントはまさにそこだ。**ふつうの子Aくんはまさにふつう**なんだ。ほかの子と、どこも変わらない。たぶんきみみたいにね?でもね、もうすぐこの子にスゴイことが起ころうとしている。

ふつうの子Aくんの人生は、今まさに変わろうとしている。この先も永久に……。

いや、なにも放射能をもったクモにかまれたり、
雷に打たれたりして

を授かるわけじゃないよ。

　そうじゃなくて、ある日ふつうの子Aくんが学校から帰ったら、お父さんとお母さんが家の前で待ちかまえていた。

　さては何かたくらんでるな、とピンときた。お母さんは興奮したカエルみたいに前へ後ろへピョコピョコ跳びはねてる。お父さんは口元がゆるみっぱなしでニコニコ顔だ。
　「またいつものあれだな……」とAくんは確信した。何かサプライズを隠してるにちがいない。

「目をつぶって」と、お母さんが跳びはねながら言う。ふつうの子Aくんは言われたとおりにしながら、どうかこの前みたいなプレゼントじゃありませんように、と祈った。前回はトランポリンで、たしか救急車を呼ぶはめになったっけ……。

お父さんがガレージの扉を引っぱり開けながら、興奮して叫ぶ。「さあ、見てごらん！」

Aくんはめんくらった。プレゼントらしき物はどこにも見えないからだ。でも、お父さんとお母さんは、ほこらしげに微笑みながら彼の横に立っている。

「うん。これテーブル……だよね？」と、Aくんはまごつきながら聞いた。

「ああ、古いテーブルに見えるけど」と、お父さんが前に立ちはだかりながら言う。「よく見てごらん、卓球台だぞ！」

ふつうの子Aくんが答える間もなく、お母さんがラケットとピンポン玉をお父さんの手に押しこむ。そしてAくんは「ピンポンのラケット」と言う間もなく、ネットをはさんでお父さんと向き合わされていた。

「何をモタモタしてるの？」とお母さんがかん高く叫ぶ。興奮して金切り声に近い。お父さんも見るからにテンションが上がってる。近寄るとケガでもしそうなヤバイ雰囲気——脚を見たこともない形に曲げて、荒々しくストレッチをしている。

「さあ、やってみようか！」とお父さんが卓球台の向こうから声を張りあげた。

　Ａくんは、ネット越しにお父さんを呆然と見つめる。まったく思いもよらない展開だ。それでもラケットを握って、お父さんのサーブを待つ──話の途中で悪いけど、ここでちょっと一時停止ボタンを押すよ。

　なぜかって？　今まさに、ふつうの子Ａくんが人生の分かれ道にさしかかったからだ。

　ふつうの子Ａくんはここで、ふたつの道のどちらかを選ぶ。ひとつはこれまでどおり、**ありきたりでパッとしない生活を続ける道。**もうひとつは、**想像を絶するすばらしい旅へと出発する道だ。**すべては次に何を選ぶかにかかっているんだ。

いいものは後のお楽しみということで、
まずはAくんが

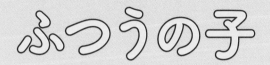

ふつうの子

になる道から始めるよ。

　それじゃ、一時停止ボタンを解除してさっきの続きにもどろう。ふつうの子Aくんが、どうにか集中してお父さんのサーブを待っているところだ。

　気がつくと、ボールが弾丸のような速度でネットを越えてきた。手も足も出ない。今のはツイてなかったんだとAくんは思う。
　お父さんはどうやら卓球が得意みたいだ。マグレかもしれないけど。それとも、あのストレッチがツキを呼んだのか?
　今度はふつうの子Aくんがサーブをした。するとボールは大きく横にそれ、アウトになっただけでなく、ガレージの外まで転がりでてしまった。
「気にするな」とお父さん。「さあ、続けて!」

　頬をわずかに赤らめたふつうの子Aくん。あんまりおもしろくない。再びサーブすると今度はかろうじてネットを越えて相手のコートに入った……と思う間もなくミサイルのような速さで打ち返された。バウンドしたボールは、Aくんの肘を直撃。
「おい、どうした!」お父さんがプロ選手のようにジャンプし続けながら叫ぶ。「もっと本気出せよ」

床からボールをひろったＡくんは、足を引きずるようにして卓球台にもどったけど、**心はもう折れていた**。オリンピック選手みたいに燃えてるお父さんにやられ続けてもっと惨めな思いをするか、それとも自分の部屋へ引きあげてゲームをするか──当然ゲーム機が勝った。

「もういいよ」とＡくんは言って、ラケットを置いた。「とにかく、プレゼントありがとう」

　どうしてこういう結果になったのか、お父さんとお母さんはしばらくたがいを非難しあった。というか、「あなたが競争心むきだしだったからよ」とお父さんが責められた。だが、そもそもふつうの子Ａくんのなかにチャレンジしようとする**情熱**がないことがすぐに明らかになる。

　翌週、お父さんから卓球に誘われると、ふつうの子Ａくんは断った。
「ぼくには向いてないから」
　肘のあざがようやく消えかかったばかりだった。
「そうだわ、アンドリューといっしょに練習すれば?」とお母さんが提案した。それこそ、ふつうの子Ａくんにとって悪夢だった。お兄さんの負けん気の強さときたら、お父さんどころじゃない。しかもあいつにコテンパンにやっつけられたら最後、学校で言いふらされるに決まってる。それだけはなんとしても避けなくちゃならない。

「いや、やめとくよ」とAくんは自分の部屋へ引きあげながら言った。「お兄ちゃんのほうがぼくより向いてるにちがいないもの」

時が流れ、お父さんはゴルフを始め、ガレージに置かれた卓球台はほこりをかぶっていた。お母さんはしばらくのあいだ、その上にお父さんの新しいゴルフクラブをのせていたけど、場所をふさぐ卓球台がだんだんジャマになった。しまいにはタダ同然で隣の家に売ってしまった。

ふつうの子Aくんはと言えば、ただただ毎日をやり過ごしていた。学校の通信簿にはいつも、「もう少し頑張れるはずです」と書かれていたが、変わろうとする気配はなかった。Aくんにとって**チャレンジすることは障害物で、避けるのがいちばんだったんだ。**

　そればかりか、もっと外に出なさいという両親の声も聞かず、部屋にいることが多かった。手にはいつもゲーム機、かたわらにはスナック菓子。それで何に取り組んだかというと……べつだん、

何もしなかった。

ふつうの子Aくんは、
その名のとおりの生き方をしていたんだ。

　ある日、ふつうの子Aくんが暇つぶしにネットでスポーツ動画をあれこれ見ていると、卓球の全英選手権決勝戦がライブ配信されていた。あまり愉快とは言えないガレージでの卓球デビューがよみがえる。

　決勝戦は、観客で埋めつくされた大ホールで行われている。ボールを手にしたひとりの選手がアップで映しだされた。完全に集中し、とても落ち着いている。ふつうの子Aくんは背筋を伸ばして座りなおす。画面に目が釘づけになる。

　優勝をかけてサーブしようとする選手に、ものすごく見覚えがあったからだ……。

スゴイ子

生まれつきスゴイんじゃないよ。
スゴイ子になるんだ！

さあ、今度はスゴイ子への道だ。まずはAくんが人生の分かれ道に達したところまで話をもどそう。卓球台のネットをはさんでお父さんと向かいあったときだったよね?

　最初の1回は、打ち返すどころか、かすりもしなかった。2回めもやっぱりダメで、3回めはお父さんからの返球をまともにくらって、肘にピンポン玉くらいのあざが残った——ここまでは同じなんだけど、ちがうのはここから先。

ふつうの子Aくんとちがって、今度のAくんは、あきらめなかったんだ。

　Aくんは、胃のあたりがキリキリする気がした。最初は昼休みに2本も食べたチョコレートバーのせいだと思った。
　でも、そうじゃない。このままじゃイヤだ、少しでもうまくなりたい、お父さんから1点だけでも奪い取って見せたいと思っているからだ。

うまくなるにはいろいろ直さなくちゃ、とAくんはわかっていた——というよりむしろ、改善しないといけないことが山ほどある、と言うべきだった。

それでもAくんは、ラケットを投げだしてテレビゲームにもどるかわりに、自分に向かってこう言った。

頑張ってやってみれば、そのうちに少しはうまくなるかもしれない。

それに、やってみて起こりうる最悪のことってなに？　せいぜいお母さんのあのカエルみたいな動きがトーンダウンするくらいだろう。そう考えて、Aくんはその場であきらめるかわりに、ボールを手に取ったんだ。

何度も、何度も、何度も……。

1時間後、Ａくんはまだお父さんから1点も奪えない。でも、初めよりだいぶましになってきた。もう球を打ちこまれてケガすることもなく、コツをつかんできた。ときには、自分でも驚くほどお父さんのサーブをうまく返せたり、もう少しでお父さんが取れない球を決められそうだった。

　たしかに今のＡくんは、とても試合で勝てそうには見えなかった。でも、球を打ち返すうちにちょっとずつ腕を上げ、**ほんのわずかだけど確実にうまくなっていた。**
　しかもそれだけじゃない、Ａくんは**卓球が楽しくなっていた！**どうやら今回の両親のサプライズは成功したようだ。

　ふつうの子Ａくんは、自分は卓球に向いてないと**決めつけ**、完全にあきらめて部屋へ引っこんでしまった。それに対してスゴイ子Ａくんは、**どこまでもやってみよう**と決めた。本気で卓球がうまくなりたかったからだ。

それも、
少しだけうまくなるのではなく、
自分の限界まで。

そう、スゴイ子Aくんは、**自分の力のかぎり、卓球をキワめてみようと思ったんだ**。それには、ガレージの卓球台でどれだけ練習できるかが肝心だと気づいた。「うまくなるためなら、お兄ちゃんに頼んで練習相手になってもらおう」とまで考えだしたんだ。

不思議なことに、「お兄ちゃんは自分より卓球がうまいかも」という心配は、もう消えていた。いや、正確には、前ほど気にしないことにした。

なぜなら、お兄さんが強敵だからこそ、スゴイ子Aくんはいっそう真剣に、卓球の練習に打ちこめるのだから。

ふたりがあまりにも長い時間練習しているので、お父さんが心配して様子を見にくるほどだった。しかし、それだけ練習した甲斐はあった。スゴイ子Aくんは失敗をくり返しながら学んでいき、とうとうお父さんやお兄さんが、Aくんから引きだしてやれるレベルをはるかに超えるワザを習得したんだ。

そのうちに、「卓球が面白いらしい」という噂が近所一帯に広がった。平凡な町でだれかが新しいことを始めたらどうなるか知ってるよね?　そう、みんなが飛びつく。スゴイ子Aくんが気づいたころには、地域全体が卓球ブームにわき、学校の卓球部には入部希望者が殺到した。

　スゴイ子Aくんは、放課後や週末、祝日のほとんどを使って猛練習してきたおかげで、今では卓球の名手だ。連勝を重ねる地方チームに入って腕を磨き、とうとう全英選手権の決勝までたどりついた。両親(卓球台を買ってくれたのは大手柄だった!)やお兄さんをはじめ、Aくんが歩んできた長い道のりでひと役買ってくれたすべての人たちは、もちろんとび上がって喜んだんだ。

　その決勝戦はライブ配信されていた。スゴイ子Aくんは今スポットライトを浴びながら、プレッシャーに押しつぶされそうだったけれど、**この瞬間を迎える用意はできていた。**これまでのトレーニングの成果がようやく実を結ぼうとしていた。

　とはいえ、厳しい試合になるのは、まちがいない。
今までで最大のチャレンジだ。

　思ったとおり、対戦相手はずばぬけた技量をそなえ、駆け引きにも長けていたけど、スゴイ子Aくんは落ち着きを失わなかった。そして激しい戦いの末、ついにマッチポイントを迎える。

　観客が息をのんで見守るそのとき、これまでの長い道のりがスゴイ子Aくんの頭に浮かんだ。

　何年ものあいだ、早朝に起きて練習を重ねてきた。思いのすべてをこめて、スゴイ子はサーブした。そして……

みごと優勝した！

スゴイ子はガッツポーズをする。
ついに夢がかなったんだ！

　そう、それが夢というもの——**夢は現実にできるんだ。**ただし、いわゆる夢物語とはちがって、**たまたま実現するものじゃない。**

じゃあ、夢をほんとうに達成できるものに変えるには、どうすればいいのか
──それを教えるのが、この本なんだ。

夢と言っても、きみの学校がゾンビに襲われて、世界の終わりがやってくるとかいうとりとめもない空想物語じゃないよ。ハリウッドで大ヒット映画を監督してアカデミー賞をもらうとか、国際外交における貢献によってノーベル平和賞を受賞するといった壮大な夢の話でもない。

そうじゃなくて、きみが思い描いている目標、たとえば学校の演劇でお目当ての役を手に入れる、いつか陸上競技の選抜チームに入る、合唱団の練習で音譜どおりに正しく歌う、あるいは、次の数学のテストで成績をぐんとアップする──そういう夢の話をしているんだ。

きみの望みが何であろうと、そして、今はどんなに頑張っても手が届かないものに思えても、この本を読めば、きみの中に眠っている**能力**を引きだし、それを**実現する方法**がわかるはずだ。

どうしてそんなことが言いきれるのかって？
なぜなら、ごくふつうの子だったけど、分かれ道で卓球チャンピオンになる道を選んだスゴイ子、

あれは

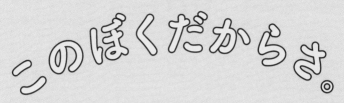

このぼくだからさ。

成功の秘密

　ぼくの名前はマシュー。20年くらい前に全英卓球チャンピオンになり、英国代表としてオリンピックにも2回参加した。ちょっとしたものでしょ？

　それもこれも天性の才能があったからさ！……なんてふりをするのは、ぼくにとってカンタンだ。生まれつき反射神経がよくて、電光石火のごとく反応できてさーって自慢したりね。

　でも、**それじゃウソになる。**たしかに全英選手権で優勝したとき、ぼくはスピードと度胸と機転をかね備えた選手だと評判だっ

た。だけど、卓球選手になるために生まれてきた天才、だなんてとても言えない。すでに説明したとおり、生い立ちや家系もいたって平凡で、ぼくはふつうの子そのものだった。これといって問題もないけど、将来一流アスリートになるような兆しはまったくなかった。**スゴイ子の片鱗すら見られなかったんだ。**

だから、トップ選手になるためのスキルを根気強く学ばなければならなかった。**ほんとうにゼロからのスタートだ。**たしかに両親がそろって卓球ファンで、友人たちより少しだけ早く卓球を始められたのは有利だっただろうと思う。でも上達するには、ひたすら練習に打ちこまなければならなかった。失敗や挫折もたくさんしたけど、そのすべてが、かけがえのない学びの機会になった。

というわけで、「生まれつきの天才」や「天性の才能がある」と言われる人びとがいかに特別かという類の話は、ここでは全部忘れてしまってほしい。かわりにぼくが真実を話すから。ほんとうはだれだって——もちろんきみも——（ほとんど）何でも**すごくうまくなれるんだ**という話をね。

それでは、ふつうの子だったぼくが卓球のチャンピオンになれた理由をいくつかの角度から分析してみよう。でもその前に念を押しておきたい。夢を達成するカギは1にも2にも**やりぬく力**（グリット、とも呼ばれる）であって、天からあたえられた才能じゃないってことを。

　なんでまた卓球台（それも金色のロゴが入ったデラックスモデル）をガレージに置こうと思ったのか、両親はいまだにうまく説明できない。ともかく、卓球台が家にある子はまずいなかったので、ぼくは一歩先んじることができた。

　そして時が経つにつれ、ぼくは卓球の天才だとか、生まれながらの才能があるとか言われるようになった。

　だけど、世間の人は知らなかったんだ。うちのガレージに卓球台があることを。

　そして、雨の日曜でも放課後でも、ヒマさえあればぼくがラケットを握り、うまくなりたい一心でひたすらボールを打ち続けていたことを……。

② 身近な練習相手

　兄のアンドリューは、スポーツ万能。それに都合のいいことに、めちゃくちゃ負けずぎらいだった。

　あらゆるゲームで勝とうとした兄は、卓球もいちばんじゃなきゃ気がすまなかった。だから、兄はぼくにとって**「いつでも対戦OK」の便利な練習相手になった。**

　セブンイレブンみたいに24時間オープンで相手をしてくれたから、ぼくたちは登校前にひと勝負し、放課後にも何時間もぶっ続けで球を打ち合った。ぼくはアンドリューに全勝して、「もう降参だ！」と言わせることを密かに狙ってたし、向こうだってぼくをこてんぱんにやっつけたいと思ってたにちがいない。

　だから、ぼくらはいつだって真剣勝負だった。そうやって知らず知らずのうちに、ぼくたちは何千時間も練習を重ね、その成果はカミソリみたいに切れ味鋭いワザの数々となって現れた。

3

熱血コーチ

　だれでも、**めちゃくちゃ熱心な学校の先生**の名前がひとりやふたり、うかぶだろう。自分の知識を生徒と分かち合うことに情熱を燃やし、厳しいだけでなく、ときにはきみを笑わせてくれるような先生だ。そういう先生の熱意はいつのまにか心に入りこみ、気づけば、きみも同じようにその教科に夢中になっているんだ。

　地元の小学校のチャーターズ先生もそんないい先生で、とりわけぼくが影響を受けたのは、先生のスポーツに対する情熱だった。黒い口ひげと輝く目が印象的で、いつも生徒が全力を尽くせるように励ましてくれる名人だ。**「人生で大切なのは、可能なかぎり最高の自分になることだ」**というのが先生の口ぐせだ。

　先生はほぼすべての部活にかかわっていたけど、とくに力を注いでいたのは卓球部だった。イギリスで屈指の卓球コーチでもあり、意欲があって上達しそうな卓球選手を探すスカウトマンでもあった。だから先生は、ちょっとでも卓球への関心を示した者には、地元の卓球クラブへ行くように勧めていた──そのクラブの名は「オメガ」だった。

4

高め合える場所

　全国の精鋭卓球選手だけが入れる卓球クラブ……とはほど遠い、地元のクラブがオメガだ。名前はなんだかカッコいいのに、その実体はというと、卓球台がいくつか置かれただけの**オンボロ小屋**だった。夏はうだるように暑く、冬は凍てつくほど寒い。それでも、ぼくみたいな選手のタマゴを磁石のように引きつけた。そうなる理由があったんだ。

　1度でもフォアハンドでカット（ラケットを振り下ろして球を逆回転させながら返す打ち方）ができた者には、最高の名誉である**「オメガの鍵」**があたえられた。ただ鍵がもらえただけじゃない。昼でも夜でも好きなときに、わが町の卓球の殿堂（「殿堂」と書いて「ボロ小屋」と読む）が使えたんだ。

　鍵を渡されたのはぼくだけ、と言いたいところだけど、じつは近所一帯のほとんどの子が鍵を持っていた。その結果ぼくの地元はのちに、**全英タイトルを制覇した若手トップ選手をありえないほどたくさん世に送りだすことになった。**

ここでちょっと考えてみてほしい。ぼくがイギリスの代表選手だったとき、国内トップ選手（男子も女子も）の多くがぼくの故郷レディングの、それもぼくが住んでる通りの出身だった。周辺地域とかじゃなくて、**ぼくの家があるロンドン郊外の町レディングの、シルバーデール通り限定だ。**

　おかしいと思わない？　まるで映画『ハリー・ポッター』の全キャストが、同じマンションの生まれだっていうぐらい奇妙だよね。

　つまり、何かを**すごくうまくなる**かどうかはやり方次第だということだ。この本が言いたいのもそれに尽きる。何かを人よりうまくなるには、生まれつきの資質や才能が不可欠だと思ってる人がとても多い。

　でも、もしそうならレディングの1本の通りにばかり**「才能ある」**卓球選手が異常にたくさん生まれたりする？　まったく筋が通らない。

　でも、シルバーデール通りの子たちが10ブロック離れた通りの子よりはるかに卓球がうまくなった理由は、生まれつきの資質や才能じゃないと考えたとたん、納得がいく。

　その理由とは、卓球クラブ「オメガ」に通えたことやチャーターズ先生との結びつき、それに、この通りの子たちがいっしょに練習を重ねた時間の量だったんだ。**いたって単純なことに、ほんの少しだけ離れた通りの子たちは、オメガで練習していなかった。**

「卓球なんかに興味ないよ」って
きみは言うかもしれないけど、

それは全然問題ない。

　興味をそそられる対象や趣味は、人によってちがうからね。でも、うまくなる方法や、夢を実現するための戦略は実は同じなんだ。この本ではそういうものを紹介していく。

　それからこの本は、金メダルを取ることや試験でいい点を取ることばかりを目標にしているわけでもない。**まったく、ちがう。**

　きみがダンスをうまくなりたいにしろ、「いいね！」されまくる動画を撮りたいにしろ、絶品カップケーキを焼きたいにしろ、生まれつきの才能なんかなくても達人になれると知っておくことはとても重要だ。

　練習と意気ごみ、それに対抗心をかきたてる年上のきょうだい（これは必須ではないけど）がそろえば、物事はキワめられるんだとわかれば、きみは心の底から信じられるだろう――何かをとことんやってみることには、大きな意味があるってことを。

夢のリスト

ゲームクリエイター

マンガ家

プロゲーマー

小説家

医者

写真家

トリマー

政治家

獣医
<ruby>獣<rt>じゅう</rt>医<rt>い</rt></ruby>

弁護士

ピアニスト

宇宙飛行士

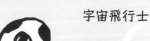

バスケ選手

指揮者

サッカー選手

ユーチューバー

学校の先生

考古学者

映画監督（かんとく）

声優

アイドル

テニス選手

ダンサー

デザイナー

お笑い芸人

俳優

プログラマー

アーティスト

シェフ

歌手

パティシエ

さあ、どれがいい?

何を選んだにしても、
きみは一歩ずつ進んでいくだけで OK。
まずは、この本のページをめくってみて……。

YOU ARE AWESOME

CHAPTER
2

きみの心に
ブレーキをかけて
いるものの正体

知ってるかい？

今の子どもたちの3分の2は将来、
今はまだ存在すらしていない職業に就くんだ。

驚いちゃうよね……。でもまだあるよ。きみたちは平均すると、**一生のあいだに少なくとも17の異なる仕事に就くと言われている**（いっぺんに全部するわけじゃないから、心配しなくていい）。

ぼくたちの世界は今、モノスゴイ速さで変わりつつある。どうやって合わせていったらいいのか、**不安に駆られても無理はないんだ。**

「はたして自分の頭でやっていけるだろうか」と思ったり、「失敗したらバカだと思われるんじゃないか」と何をするのもコワくなったりする。サイアクの場合、試そうともしないうちから尻ごみしてしまうんだ。

こんな調子で、さまざまな**「不安」**や**「心配」**がきみにブレーキをかける。そこで、どうやったらそれらを克服できるか、考えてみよう。備えあれば憂いなしだからね。

まずはできるだけ準備して、自信を養い、あとはガンガンやろう！ 未来はどうなるかわからないし、人生に変化や試練はつきものだけど、何が起きても**「自信」**さえあれば必ず乗りこえていけるんだ。

道を選ぶのは、きみ自身だ

　表彰台に立ったことや新聞に写真が載ったこと、卓球選手としての経験全部は、いろいろな意味でぼくを変えてくれた。その過程でぼくの心に刻まれたことをいくつか紹介したい。

○卓球選手になるためラケットを握って生まれてくる人もいなければ、頭に計算機や中国語が組みこまれて生まれてくる人もいない。

○何かを上手になるには時間がかかり、一夜漬けでうまくなるのは不可能だ（そもそも夜は寝なきゃ）。

○何かの達人になるにはもっと時間がかかり、世界チャンピオンになるにはもっともっと時間がかかる。

○何かをキワめた人なら必ず、山ほど失敗を経験している。例を挙げてみよう。

私は現役だったとき、
9000本以上シュートを外し、
300回くらい試合で敗れた。
チームから任されたウィニングショットは
26本外した。

何度も、何度も、何度も、
失敗ばかりくり返してきた。
でも、それこそが成功した理由だ。

マイケル・ジョーダン
バスケットボールの神様とうたわれ、
けっして失敗にくじけなかった元NBA選手

考えさせられる
でしょ？

ぼくの心に刻まれたことのリストにもどろう。

○自分がどれだけ夢中で練習してるかなんて、だれも認めたがらないものさ。だから、きみのまわりのスゴイ人が、努力なんかしてないよと言っても、信じてはいけない。たぶんそれはウソだから。

○ものごとがうまくいかなくても、ぼくはすぐにあきらめたりしない。何かが困難だからといって、ぼくがダメなせいでも、その試み自体がまちがっているわけでもない。ほとんどの場合は、まだ正しい「戦略」(オメガやチャーターズ先生のような)が見つかっていないだけなんだ。

○すべてのものを上手になるのは不可能だ。本気で練習すればもっとうまくなるのに、と思うことがぼくにはたくさんある(たとえばスケボーを修理しようとして余計に壊れたときとか)。でも1日には24時間しかない。

もちろんぼくだって、朝起きぬけに下着をはいたら後ろ前だったりする。しょせん、ふつうの人間だからだ。**だけど、難しいことをあきらめてしまうか、続けるかという「小さな選択」の積み重ねによって人生がこれほど変わるのかと、いまだに驚(おどろ)いている。**

　ぼくの場合、卓球をやめていたほうがむしろ自然だっただろう。なぜなら、**ぼくはてんでダメだったから。**信じてほしいんだけど、ほんとうに下手くそだった。

　でも、ぼくはやめなかった。卓球に全力を傾け、厳しい練習を重ねてワザを磨(みが)き、自分としての頂点を目指す旅に出たんだ。

　そこで、新しいことに挑戦(ちょうせん)する方法について考える前に、ぼくたちのやる気に**「ブレーキをかけるもの」**について考えてみよう。ものごとがうまくいかないとき、ぼくたちにあきらめさせようとするものは、いったい何なんだろう？　ぼくの経験から言えば、そうした障害を乗りこえたとき、ぼくたちは初めて強くなれる。

ダメだ、ぼく、こういうの苦手なんだ

　新しいことを始めたり、困難なことにブチあたったりすると、また「余計な骨折り」が増えるように感じてしまうもの。でもそれはきみだけじゃなくて、みんな同じなんだ。ちゃんと理由もあって、それは脳の仕組みが、失敗をイヤがるようにできているから。

　これはほんとうに困ったことで、失敗を避けるために試すことさえ怖れていると、けっして自分の可能性を広げられない。そこで、どうして挑戦に尻ごみしてしまうのかを理解するために、**頭の中**をのぞいてみよう。

　実際に脳の内部が見られたとしたら、どんな感じだろう？
　もしゼリー状でぬるぬるした友だちの脳みそをのぞけたら（何が見えるのか想像しただけでコワイけど……）？

　まず、ヒトの脳は**物理的に非常にもろい**。ちょうどメロンほどの重さで、牛ひき肉に似たぐにゃっとした質感だ（この後夕食でミートソースやメロンが出て食べられなくなったらごめんなさい）。
　また、**感情面でも脳はとても繊細で傷つきやすい。**
　ぼくたちが何か新しいことを試そうとするとき、それも「ちょっと難しく」て、ぼくたちをこれまでの「安全圏」から引っぱりだすかもしれないものを始めようと思うとき、**心の中（つまり頭の中）でブレーキをかけようとするのは、脳の自然な反応なんだ。**

　じゃあ、そのブレーキにはどんな種類があるだろう？

「バカだと思われるんじゃないか」 という恐怖

　子どものころ仲良しだった女の子は、「有名になりたい」とよく言っていた。「映画に出たい、『スター・ウォーズ』がいいな」と。

　ぼくは、けっこういい線行くだろうなと思った。その子は、戦いごっこの相手もひるむぐらい、おもちゃの剣「ライトセーバー」を巧みに使いこなしたので、もしレイア姫の妹役ができたら射止めるのは彼女にちがいないと思っていた。

　でも、ロンドン郊外の小さな家からハリウッド映画に打って出るのはそうカンタンじゃないと、その子にもわかっていたんだろう。

　まずは、クリスマスに学校で上演されるキリスト降誕劇からキャリアをスタートしようと考えた。

　ぼくは心から感心した。自分は気が弱すぎてオーディションにさえ行けず、観る側にまわったからだ。だから栄えある初日の夜、プログラムにその子の名を見つけたとき、ずいぶんとうらやましかったものだ。

「ラクダその2」：エマ・スミス

　すばらしい一夜となる準備が、すっかり整えられていた。エマのお父さんは、娘のためにわざわざ同僚からラクダの衣装（コブは2つ）を借りてきた。ぼくと両親と彼女の両親は、最前列に並んで座った。エマは2頭めのラクダで、セリフは5行あり、そのうちの2行が歌だ。全部でラクダは4頭登場し、1頭めがいちばんメインのラクダで、セリフは8行。3頭めと4頭めのラクダにはセリフがない（正直なところ、あとの2頭が出てくる意味が、ぼくにはさっぱりわからなかった）。

　芝居が中盤にさしかかり、とうとうそのときがやってきた。音楽が奏でられ、「ラクダその1」がカンペキな音程で歌いあげ、いよいよエマの番だ。

　でも……歌いだす瞬間にぼくのほうを見たエマの表情から、**何かまずいことになってると察しがついた。**その目にうかんだ恐怖から、**歌詞が出てこないんだとわかった。**

　ぼくはちょっとおかしな人みたいに口をパクパクさせ、必死に歌詞を教えようとした。ここ3か月、オメガで休憩するたびにエマの練習につき合わされていたので、丸暗記していたのだ。

　ところがエマはライトで目がくらみ、ぼくからの助け舟が見えない。そのまま石のように固まってしまった。

　みんなの前で——200人の観客、ラクダその1、その3、その4、ヨゼフとマリア、舞台セットの前で、エマは緊張と恐怖で動けなくなって、立ちすくんでいた。

ついにラクダその1が代わりに力強く歌ってピンチを救い、曲はそのまま進んだので、ほとんどの観客は何も気づかなかった。

　でも、エマは失意のどん底。ハリウッド・スターになる夢は遠のいていた。挙句のはてにそのシーンが終わるやモノスゴイ勢いで舞台から駆けだし、照明スタンドに激突したので、2番めのコブを壊してしまった。おかげでその衣装を返すはめになったお父さんは、職場で面目丸つぶれ。

　すばらしい一夜になるはずが、エマにとってはさんざんな夜になってしまった……。

　エマはすっかり落胆していた。自分が大バカに思えた。大失敗だ。それからまる1か月、ラクダその1の顔をまともに見られなかった。ラクダその4は、ついにこらえきれずにこう言った。「ぼくがやったほうが、よっぽどマシだったよ」

　エマがショービジネス界に進出する夢は消えたも同然だった。再びステージに立とうという気になれなかった。まして派手な衣装なんて、こりごりだ。

**　ところがエマは、これで終わりにしてはいけないと、考えなおした。**

　翌年の学芸会の芝居は『ヨセフと不思議なテクニカラーの上着』（旧約聖書「創世記」を題材にしたミュージカル）だった。エマは恐怖心をわきへ押しやり、オーディションに参加したんだ。

　しかも、色あざやかな上着をまとった主役に挑戦したんだけど、憎たらしいことに例のラクダその4に取られてしまった。

でも、オーディションとはいえ、エマはもう1度舞台にもどり、
恐怖に立ち向かったんだよ。
そして今度はみごとやりとげた。これはスゴイことだ。

　エマは勇敢にも再挑戦したけれど、失敗するのがイヤで挑戦をやめた経験はだれにでもあるだろう。わざわざリスクを冒して、面倒な思いをするなんて割に合わない。

　たとえば、バカな質問だと笑われたくなくて、手を挙げなかったことはない?

　あるいはこんなことは?──きみは天性の俊足ランナーだとみんなから思われてる。だけど運動会で100メートル走のスタートラインについてみたら、まわりは超速そうな選手ばかり。ウサイン・ボルトといっしょに練習してました、みたいな感じのね。

　連勝記録が止まるくらいなら、腹痛を装うほうがマシだと、きみは思うかもしれない。たしかにビリになる屈辱よりいいかもね。

**人に笑われるくらいなら、
大勢のなかにまぎれているほうがいい。
そう思うのはいたって自然なことだ。**

でも、ここでエマの教訓が大事になる。
ラクダの衣装（いしょう）は借りないこと。それから……

勇気を
出してみよう！

　バカだと思われるんじゃないかとコワがってオーディションを受けなかったり、質問をしなかったりしたら、**きみは何もうまくならない。** ライバルにおびえて競争から逃（に）げだしているかぎり、きみは損（そん）をする。チャレンジしないうちは、何も新しいことを身につけられないからだ。

ブレーキ2

ぼくとはちがう世界の話だ

みんな**サクセス・ストーリー**が好きだよね。

テレビのタレント発掘番組でだれかが栄冠に輝くと、人びとはステージに魅了される。それが歌でもダンスでも、あるいは何かを宙に消すマジックでも、ぼくたちは決まって非の打ちどころのないパフォーマンスを目にする。そして、もしかしたら自分にもできるかも……なんてことは夢にも思わない。

どうしてだろう？

一流スポーツ選手やミュージシャンを見ると、どんなに逆立ちして頑張っても自分には無理だと思ってしまうのはいったいなぜ？

答えはカンタン。

ぼくたちがパフォーマンスを見るときは、
想像を絶するような努力と練習を経てきた
「最終結果」しか見ていないからだ。

ぴかぴかメガネ

　言ってみれば、みごとに仕上がったパフォーマンスだけが見える**「ぴかぴかメガネ」**をかけているのに、それに映るものがすべてだと思っているみたいだ。バイオリン演奏でも、水泳でも、勉強でも、達人たちがその域に達するまでに、どれほどの時間と努力を注（そそ）ぎこんできたか想像もしない──どんなにたくさんの失敗をくり返してきたかもね。

　そうして、完成された姿にばかり注目し、「やっぱり生まれつきの才能のおかげだよね」なんて思いこむ。自分も達人たちと同じ道を試してみようなんて、これっぽっちも考えずに。

　それだけじゃない。何かを成しとげた人のほうにもちょっとした**「問題」**はある。そこにいたるまで、どれほどたくさんの努力を重ねてきたかを話さなかったり、認めたがらない人もいることだ。そういう話をすれば、夢のようなサクセス・ストーリーが台なしになるかもしれないけど、しなければ真実を覆（おお）いかくすことになる──膨大（ぼうだい）な量の練習なくしては、すぐれたワザを身につけられないという**「真実」**を。

ブレーキ3

努力なんて、
うまくできない人がするものでしょ。
ぼくにはカンケーないね

　きみたち若者がなまけていると、まわりからの風当りが強かろう!　朝寝坊すれば「せめて夕飯には間に合うように起きてよね」と冷やかされたりする。

　それでもやっぱり、最小限の努力ですむラクな道に惹かれるのが人情ってものだ。

そこに、もうひとつの危険がひそんでいる。

たとえば、周囲のだれもがきみにこう言ったら、いったいどうなる?

「きみは数学の天才だ」

あるいは、

「あなたの反応速度は人類最速だ」

(これは実際にぼくのことを書いた記事にあった言葉で、
ぼくはこの言葉をベッドの上に6年も飾っていた)

何が問題かわかるかな？

きみ自身がこの「誇大広告」を信じだしてしまうんだ！

アカデミー賞をもらう前に受賞スピーチを考えたり、試験に合格する前にお祝いを計画したりしてね。

自分には人並み外れた才能があると思いこんだら、人はなまけだす。ほんとうは小さな魚なのに、ホホジロザメにでもなったように、「努力なんて、ぼくとちがって才能に恵まれないやつのやることさ」なんて思ったりする。いい気になって、精いっぱい努力するのを、やめてしまうんだ。

その結果どうなると思う？

ちょっとぐらい成果をあげたからといって、ソファでなまけたりせず、努力し続ける人に追いぬかれてしまうんだ。

私は失敗したのではない。
うまくいかない
10000とおりのやり方を
発見しただけだ。

トーマス・エジソン
蓄音機や白熱電球などの発明家で、
どんなに失敗してもあきらめなかった、すばらしい科学者

ぼくたちは成功者をついつい**「ぴかぴかメガネ」**をとおして見て、華々しいパフォーマンスにしか目を向けない。でもそんなメガネはぶち壊してしまおう、次の話を読んで……

有名な失敗 その1

スティーブ・ジョブズ

✓ **科学技術の先見性がある**（まちがいない）

✓ **アップル社を設立**（マジでスゴイ）

✓ **大失敗を経験**（え、ほんとに？？）

　ほんとうだとも。スティーブ・ジョブズはアイフォーン、アイパッド、アイマックを世に送りだした歴史的人物だ。きみの「クリスマスにほしい物リスト」にもどれか入ってるかもしれない。だとしたらそれも偉大なるジョブズのおかげなんだ。

　ジョブズは失敗とは縁がなさそうだけど……

じつは、ジョブズはアップル社をつくったにもかかわらず、その9年後、自分が迎えいれた人びとと意見が合わなくて、会社を追いだされてしまったんだ。**これはキビシイ！**

わが子のような会社をぶんどられちゃったばかりか、9年間の苦労が水の泡だからね。テクノロジー業界に見切りをつけてしまっても不思議じゃない。でも、ジョブズは、あきらめなかった。

尻尾を巻くかわりに、ジョブズは**それまでとちがう事業に力を注いだ**。たとえばピクサー（のちに「モンスターズ・インク」、「カーズ」、「ファインディング・ニモ」を制作したアニメーション会社）は、現在もすばらしい業績を上げている。それだけじゃない。ネクストというコンピュータ企業もつくった。この会社は10年後になんと、アップル社に買収されている。そしてアップル社を追放されてから12年後、**スティーブ・ジョブズはアップルのトップに返り咲いたんだ！**

成功する起業家と失敗する起業家のちがいの半分くらいは、単なる忍耐力だ。

スティーブ・ジョブズ

自分に自信が持てない

昔のぼくは、自信がない人間だった。両親が時どき家に友人を連れてきたんだけど、大人の退屈なおしゃべりが始まる前に、お兄ちゃんとぼくは決まって自己紹介をさせられた。

お父さんはただ、「はじめまして、ぼくはマシューです」と言わせたかっただけだ。そんなのカンタン、と今きみも思っただろう。

だから、お父さんは責められないんだけど、ぼくにしてみれば、想像しただけで鳥肌モノだった。ほかの人、それもロクに知らない人の前で話さなきゃならない――そう思っただけで1週間くらい布団にもぐりこんでいたくなった。

ぼくの自信は
どん底レベルだった。
でも、何かが変わった。

今では、よく人に頼まれてスピーチをする。全校生徒や全社員を前に話すことも多い。サッカー選手のネイマールよりずっと安上りで、つかまえやすいというのが理由らしいんだけど（実際に依頼者にそう言われたし）、それに加えて、どうすれば何かを上手になれるか、ぼくの考えを聞きたいからだそうだ。

　何百人もの人を前にスピーチした後、よく聴衆のだれかがぼくのところへやって来て、こんなことを言ってくれる。「大勢の前で話されるのがとてもお上手ですね」

　それから決まって「私はまったくダメでして……」と続く。まるでぼくはステージ上で生まれ、初めてしゃべった言葉はバブバブじゃなくて「お集まりのみなさま」だったと信じて疑わないみたいだ。

とんでもない！
14歳のころのぼくを
見せてあげたいよ。

　クリスマスに、シェリー酒で祝杯をあげるためにわが家に立ち寄った両親の友人、マンディとティムに、

こんにちは、
ぼくはマシューです

とすら言えなかったぼくをね。

いったい何が変わったんだろう？

秘密を打ち明けよう。じつは人前で堂々と話せるように、**何年もかけて練習したんだ。**ぼくは、パブリック・スピーチのクラブに通った。言ってみれば、スピーチのためのオメガクラブだ。

　そこでは、自分が必ずしもよく知らないトピックをその場で割りふられ、立ちあがって即興（そっきょう）でスピーチをしなきゃいけないんだ。それも、知らない人たちの前でね。

　はじめのころは、ちょっと怖気（おじけ）づくかもしれない。でも、まわりの人たちが助けてくれるし、**みんな同じようにビビッてるとわかるにつれ、だんだん落ち着いてやれるようになるんだ。**

　下手くそなスピーチをしながら、ぼくはコツをつかんでいった。回を重ねるうちに、だんだん面白いスピーチができるようになり、知らない人でいっぱいの部屋もコワくなくなった。笑われるんじゃないかと心配することもなくなり、いざ笑われたらどうすればいいかもわかってきた。

練習が、ぼくの自信を築いてくれたんだ。
生まれつき自信があったわけじゃない。

ブレーキ5

みんなといっしょがラク

　もしも友人たちとそっくり同じものの見方をしていたら……ある意味、人生ははるかにラクだろう。同じ望みや不安を抱（いだ）いていれば、みんなとちがうものに挑戦して、失敗することもない。

　でも、もしそうだったら、なんてつまらない人生だろう！　ほんとうのところは、一人ひとりが個性的でユニークだ。

　ぼくたちはみんな見た目も異なる（親友がはいてたイケてるスニーカーを買っちゃったときは別として）。考えや行動も人によってそれぞれ異なり、ぼくたちはひとり残らずスゴイ子になる可能性を持っているんだ。勇気を出して自分なりの道を歩みだそう。

　だけど、自分だけのユニークな目標に取り組み、それによって集まる視線を気にしないでいられるには、自信が必要なんだ。そしてその自信はどこから来るかというと、結局のところ、

ありのままの自分でいる満足感
によってもたらされる。

　ぼくたちにブレーキをかけるあれこれについて考えると、毎朝ベッドから起きられることさえ奇跡（きせき）に思えてくるよね。でもその反面、毎日毎秒、世界でだれかしらが安全圏（けん）から飛びだし、新しいモノをつくりだしてもいる。

とにかく、その人たちは自分の脳（のう）の中を見つめ、夢への挑戦（ちょうせん）をジャマするいろいろな疑いや不安、誘惑（ゆうわく）を追いだす方法を見いだしたんだ。

そして彼ら（かれ）にできるのなら、

きみにもきっとできる！

ミッション・インポッシブルだって？
そんなこと絶対にない！

じゃあ、ぼくたちの心にかかっているブレーキを、
どうやって外せばいいだろう？

きみへの使命（ミッション）は、マインドセットについて考えることだ

　マインドセットとは、「経験や思いこみによって決まる心の持ち方」のことだ。言いかえれば、「**きみが世界や周囲をどう見ているか**」っていうことになる。じつはこのマインドセットってやつが、ぼくたちにブレーキをかけていることがあるんだ。

　スタンフォード大学教授のキャロル・ドゥエックは、若者たちのマインドセットについてたくさん調査を行った。ドゥエックの研究はすばらしくて（彼女はマインドセットをいろいろな面から研究する心理学者だ）、**マインドセットこそがきみにブレーキをかけたり、あるいは逆に、何かが上手になれるように手助けしてくれたりする張本人**だと示したんだ。

　実際に若い人たちに対して実験を行い、何がやる気にブレーキをかけるか、また、何が夢をかなえるのを応援してくれるのかを「科学的」に調べた。その答えを証明するために多くの調査が行われ、膨大なエビデンス（証拠）が集められた。

　その結果、ドゥエックはどんな答えを見つけたと思う？　マインドセットには、ふたつのタイプがあることが証明されたんだ。

**ひとつは、きみが何かを上手になるのを
どんどん助けてくれるもの。
もうひとつは、反対にきみの努力に水を差すものだ。**

じゃあ、まず問題のあるほうから説明するよ。

それは
「かちこち系マインドセット」
といって、
何かスゴイことをやってのけるのは、
生まれつき才能や資質がある者に限られるという
「心の持ち方」なんだ。

**つまり、何かの達人になる人には、
この世に生まれ落ちた瞬間に
もう才能が脳に備わっているという考え方だ。**

**数学が得意、テニスがバツグンにうまい、
オペラのプリマドンナのように歌える、
初めてのスケボーで神ワザを決める**

「かちこち系マインドセット」（「硬直マインドセット」とも呼ばれる）では、才能のあるなしは生まれつき決まっていて、どんなに頑張って取り組んでも、それはほとんど変えられないと考える。

どこに問題があるかわかるかな？

　もしも向き不向きが生まれつき決まっているのなら、どんなに一生懸命に練習しても、上達する余地がないことになる。

　つまり努力は、やってもムダなことの代表というわけだ。

　そしてきみは……努力をしなくなる。苦労する意味がないから。

　それより、地球の反対側を目指して裏庭に穴でもほるほうが、まだ意味があるかもしれない。お兄ちゃんと1度やったけどね。2メートル近くもほったんだ。教区の牧師さんにまで頼みこんで手伝ってもらった（もっと大事な用事がいくらでもあったろうに）。どう考えても、あれほど無意味な作業はなかったよ。

　ところで、ふつうの子Aくんを覚えてる？　**彼は「かちこち系マインドセット」の持ち主だ。**才能がない自分が卓球をうまくなろうとしても意味がないと思って、投げだしてしまったんだ。

　いっぽう、スゴイ子Aくんは粘り強くやり続けた。スゴイ子も生まれつき素質があったわけじゃない。ただ、練習を続ければきっと上達すると信じた。だからやってみようと思えたんだ。

　つまり、スゴイ子Aくんは「かちこち系」じゃなかった。やがて時とともに、彼の卓球は、「ふつう」から「スゴイ」レベルへと進化したんだ。ガレージの卓球台と猛練習、それから24時間練習相手になってくれる闘志むきだしのお兄さんのおかげでね。

ものすごく残念なことに、ドゥエック先生によると、

ぼくたちの40%以上が
「かちこち系マインドセット」
を持っているという。

40%っていうのはかなり多いよ。
世界じゅうで 29 億 6 千万人が
「かちこち系」でものを考えているということだ。
この数はヨーロッパと北アメリカの人口を合わせたよりも多い。

大問題じゃないか？

ありえない数の人が
「かちこち系マインドセット」
にハマってるってことだ。

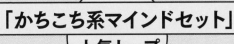

「かちこち系マインドセット」
人気トップ 10

　自分の能力をときどき疑うのは、ふつうのことだ。でも、考え方がパターン化し、それが自分の心に常にブレーキをかけているとしたら大問題。次のどれかひとつでも、聞き覚えがない？

うちの家系は数学が
からきしダメだ

わたしは何をやっても
才能がない

記憶力（きおく）が悪いから、
フランス語の単語が
ちっとも覚えられない

いろいろかじっては
みるけど続かない性分だ

人前でスピーチをする
くらいなら死んだほうがまし

テニスのセンスが
まるでない

みんなぼくよりずっと
科学ができるのに、
ぼくは全然ダメだ

デッサンなんて冗談（じょうだん）でしょ？
小さいときから
絵は苦手なの

ほかの人とちがってぼくは努力
する必要がないんだ。
生まれつき才能があるからね

家族でいちばん頭がいいのは
お姉ちゃんだよ

きっと、あちこちで耳にしてきたはずだ。きみ自身も口にしたかもしれない。かちこち系マインドセットは、いろいろな人の中にあり、人びとのチャレンジを日々せっせと、さまたげている。**だからたった今、こうした考えをきみの中から消してしまわない?**

かちこち系マインドセットは
どうやって生まれるのか

さっき言ったように、かちこち系マインドセットを持つ人はどこにでもいる。でも、そういう人は**幼い時期にこのマインドセットにハマりこんでいる**ことを、知っていたかい?

ぼくの友だちは、自分は頭がよくないと思いこんでいた理由を話してくれた。小学校のころ、読書のグループが「ロケット」と「カメ」の2つに分けられていて、彼女はカメだった。ロケットグループは読むのが速く、カメグループは読むのが遅いってことだ。

つまり、カメグループは読書に向いていないと思われていた。その結果、カメたちは努力をしなくなった。友だちはじつに40年近くも、自分のことをカメだと思ってきたんだ。

　人からのささいな一言をきっかけに、「かちこち系マインドセット」にとらわれることは、よくある。用心しないと、一生カメのままで終わってしまう。練習をしないから、向上もしない。

　それと対照的に、**なんでもうまくなる人たちが必ず持っているのが、「しなやか系マインドセット」（別名「成長マインドセット」ともいう）だ。**
　一流サッカー選手やアカデミー賞を受賞する俳優、クラスで数学がいちばんの子……。そう、「しなやか系マインドセット」を持っていることが、何かで成功する最大の秘訣（ひけつ）なんだ。

「しなやか系マインドセット」って、なんかすごそうじゃん?

きみのマインドセットは、どっち？

　きみの心の持ち方が、「しなやか系マインドセット」と「かちこち系マインドセット」のどっちなのかがわかるように、それぞれによく見られる考え方をあげてみよう。

 かちこち系マインドセット

能力：人の能力は生まれつき決まっていて、努力しても変わらない。人間は一定の素質、才能、技能を持って生まれてくる。

努力：何の意味があるの？　能力は生まれつき決まっていて変えられないんだから。

失敗：認めないでおこうっと。で、これまでのやり方を何も変えずに続けよう。だれかに助けを求めるなんて、もってのほか。才能のある人間に助けはいらない！

フィードバック（ほかの人からの意見や評価）：必要ないね。人からつべこべ言われるのは、不愉快なだけだ。ほとんど無視。

チャレンジ：面倒だから、いつもどうにかして避けている。やってみて失敗したら、バカに思われるしね。それに、負けるくらいなら参加しないほうがましだ。

ほかの人の成功：正直、嫉妬しちゃう。自分が負けてると感じると、弁解がましくなったりする。

結果：ふつうの子
すぐできることだけくり返すことに、
残りの人生を費やすだろう。

　必ずどちらかにハッキリと分類されるわけではなく、ある事柄については「しなやか系」、ほかについては「かちこち系」ということもある。

 ## しなやか系マインドセット

能力: 練習によってレベルアップできるものだ。才能や素質、技量も努力しだいで伸ばせる。

努力: 何でも試してみることは意味がある。努力することは、何かを上手になるたったひとつの方法だ。

失敗: するのが当たり前。はずかしがる必要はないし、知らなかったことに気づけるので、むしろ力をつけるチャンスになる。

フィードバック: 人の意見を聞くのは大歓迎だ。だって、どこがまちがっているかわからないかぎり、上達できないから。

チャレンジ: 大好き。新しいことを試さないと何も身につかないからね。最初はうまくいかなくたって全然OK。きっと次には、次がダメならそのまた次には、うまくやれるようになるはず。

ほかの人の成功: どうやって目標を達成したのか、めちゃくちゃ興味あるな。どんなふうにやったんだろう？　マネできるように知りたい！

結果：スゴイ子
可能なかぎり最高の自分になって
世界を変えるぞ！

「しなやか系マインドセット」って何？
ネットで買えるかな？

　残念ながら、「しなやか系マインドセット」はネット通販で買うことができない。でもガッカリしないで！　自分で持つように心がければ、持てるようになるから。

　「しなかや系マインドセット」は、能力は生まれつき決まっているわけじゃなくて変えられる、という考え方だ。人は生まれるときに「才能が入ったつぼ」（ＲＰＧみたいにパラメータ付きで、半分しか満たされていないかも？）を手渡されるわけじゃない。

　練習を重ねれば、いくらでも能力を伸ばし、高めることができるんだ。やる気をもって、努力すればね。すべては自分しだいでコントロールできる。

「かちこち系マインドセット」VS
「しなやか系マインドセット」

「やばい、自分はかちこち系マインドセットかも……」と思った人いる？　「しなやか系マインドセット」に変えたいと思うなら、カンタンな**「リフレーズ」（使う言葉を変えてみること）**からやってみよう。

しなやか系マインドセットは、
人の基本的な資質は努力によっていくらでも伸ばせる、
という信念に基づいている。

心理学者 キャロル・ドゥエック

あーあ、大失敗しちゃった……	失敗したけど、オッケーオッケー。教訓を覚えておこう
ぼくには難しすぎるよ	時間がかかりそうだから、じっくり行こう。だれかに助けてもらおうかな
もう、やーめた	別の方法はないかな？
ぼくは運動神経がよくない	だれか練習相手を見つけて、教えてもらわなきゃ
彼女は天才だ	彼女はどんな練習をしてるんだろう？何か参考にできるかも
ほら、やっぱりダメだ！ぼくは能なしなんだ	まだ練習が足りないだけさ
これ苦手なんだよね	まだうまくできないけど、練習すればだいじょうぶだろう

「かちこち系マインドセット」
から出る言葉

「しなやか系マインドセット」
から出る言葉

ちょっとだけ、まじめな話をしよう

「しなやか系マインドセット」はかなり大したヤツで、その力は計り知れないんだ。世界を変える力だってあるかもしれない。

地球温暖化を止められる？　ガンや難病を治せる？

その可能性だってある。もしも地球温暖化や難病治療に取り組む科学者たちが「しなやか系」でものを考え、解決策を見つけるまでけっしてあきらめなかったらきっと！

たしかに言えるのは、何かを試しすらしなかったら、きみの中にある可能性を埋もれさせてしまうってこと。

試した結果、たとえオリンピック・チャンピオンになれなくても（現にぼくはなれなかった。中国人の大半は家のガレージに卓球台を持ち、ぼくみたいに地球の裏側まで穴をほろうとして、時間をムダにしたりしなかったからだ）、やってみる前の自分より、はるかにすばらしい自分になる。なれるかぎり最高の自分にね。

今よりもっと自信にあふれ、進んで新しいことを試し、失敗したらカッコ悪いなんてビクビクしないきみになれるはずだ。

ということで、次へ進む準備は整った。

スゴイ子になる使命（ミッション）の「セカンドステージ」に進む準備が、整ったんだ。

実際に「しなやか系マインドセット」を取り入れ、頭の中で聞こえている「かちこち系マインドセット」の言葉と変えてしまうには、どうすればいいだろう？

次の章をお楽しみに。

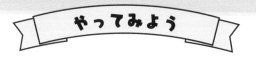

心配ごとを閉じこめるビン

　きみが何か新しいことや難しいことをやろうとするとき、心配になるのはどんなこと?
　それを小さな紙にひとつずつ書きだしてみよう。

　書き終えたら、その紙切れを全部「心配ごとのビン」(ジャムのビンでも何でもOK) にしまってしまおう。1〜2週間経ったら、中の紙を取りだし(お母さんやお父さん、友だちといっしょにやってもいいよ)、そこに書かれた心配ごとがまだ続いてるかどうかチェックしてみよう。もう心配していないものが書かれた紙は捨ててしまおう。

　まだ心配なことがあれば、だれかに相談してみよう。

YOU ARE AWESOME

CHAPTER
3

脳ってすばらしい。
どんどん変わるし、
とにかく最高なんだ

脳のことを知ってるかい？
じつは脳っておかしなヤツなんだ

○脳の 70 パーセント以上は水分。だから体の水分が減ってくると、集中力や記憶力が落ちる（急いで水を飲んで！）。

○脳には 1000 億もの神経細胞（ニューロン）がある。

○脳に張りめぐらされた血管の長さは、約 16 万キロにもなる。全部伸ばしてつないだら、地球から月までの距離のおよそ半分（！）に達する長さだ。

○ふつうの人で、1 日に約 6 万個のことを考えている。

○脳は、20W 電球 1 個を点けられるくらいのエネルギーを、生みだしてる。

○ちなみに、冷たい物を食べたときにキーンと痛くなるあれは、正式に「アイスクリーム頭痛」という病名なんだって。今度なったら、みんなに言わなくちゃ！

まだまだこんなものじゃないよ。脳についてはもっと面白いこと、びっくり仰天するようなこと、さらに言えば、**世界を変えるような事実**だってあるんだ。

今から話すことは、神経科学者たちのあいだでも最近わかったばかりだから、ぼくたちは今、**科学の最先端**にいるわけだ。

それはね、じつは「**脳は自分できたえられる**」ってことなんだ。ジムへ行って筋トレで体をきたえるみたいにね。だからどんどん脳の筋力をつけて、新しいことを学習する脳力を強くしちゃおう!

体をきたえるといえばフィットネスだ。人の体はほんとうに驚異的なもので、トレーニング次第でとても柔軟な体にもできるし、マラソンなどに向いた持久力のある体にきたえあげることもできる。つまりぼくたちの体は、物理的な適応性がバツグンというわけ。

それと同じように、**脳だって自分の要求に合わせてカスタマイズしたり、状態を整えることができる。**しかも、ありがたいことに、ジムで何時間も費やす必要もないんだ。

きみの脳は驚異に満ちている

来る日も来る日も、脳は一生懸命働いている。

まばたきや呼吸、ウォーキングに会話と、ぼくたちの動きのすべてを制御する**管制センター**だ。夜ねむっているあいだでさえ、脳はパワーこそ下がるけど、外部からの情報をちゃんと処理して、その意味を理解している。

テスト勉強
をする

走る

呼吸する

ねむる

それに、脳は複雑な「通信センター」でもあるんだ。無数の神経回路からできていて、中枢神経系に信号を伝えることによって、**体のすべての活動をコントロール**している。

そうした信号は、神経信号と呼ばれている。神経信号の仕事は、ぼくたちが何かを考えたり、感じたり、行ったりするたびに発火し、情報を伝達することだ。

　神経回路の中には、ほかと比べてとりわけ活発に信号を送っている回路がある。それらはもちろん、ぼくたちの生命を維持する基本的機能を果しているものだ。でも、ほかの大半の回路は、ぼくたちがある特定の行動をするためにつくられている。

　たとえばギターをひいたり、学芸会の台本を覚えたりといった作業をこなすのに必要な信号を伝えるために、それぞれ神経回路が形づくられているんだ。

ギターを
ひく

食べる

スケートを
する

　つまり、体を形づくるのと同じように、ぼくたちは脳を形づくることができる。自分の好みに合わせてね。脳は、**精神的な筋肉**だと考えてみよう。もし神経回路をつくるのを促すようなフィットネス・プログラムを脳にあたえてやれば、元の状態からは想像もできないような脳につくりかえることができる。

　さらにくり返しやればやるほど、「神経のつながり（神経結合）」を増やせて、もっと強力な神経回路をつくり上げることができる。
神経のこうした性格を、科学者たちはこう呼んでいるんだ。

神経の可塑性

神経のつながり

　ぼくは元卓球選手で、現在はジャーナリストだ。書く仕事をもう長年やっているんだけど、始めたてのころには、ぼくの神経回路はまだ「卓球仕様」だった。

　強烈な上回転がかかったループドライブをカットで返す腕前はずばぬけていたけど、地元でのサッカーの試合を原稿用紙5枚ぐらいの字数でレポートした記事は、あまりパッとしなかった。

　でも時が経つうちに、ぼくの文章能力は磨かれていった。ぼくの脳が適応してくれたからだ。だんだんうまく、だんだん速く書けるようになった。的確な言葉をすばやく見つけ、効果的につなぎ合わせられるようになったんだ。

　つまり書く練習をすればするほど、上手に書くのに必要な神経のつながりを増やすことができたんだ。だけど悲しいことに、無敵だったぼくの回転サーブは、かつての威力を失ってしまった。

それが、神経結合のやっかいな性格なんだよね。**使っていなければ、なくなっちゃう。**気まぐれで移ろいやすいヤツだから、ちゃんと気を配ってやらなくちゃいけないんだ。

きみが練習をすればするほど、神経結合をどんどん増やせるけど、練習をやめてしまえば、なくなっていく。サヨナラだ。そしてまたふり出しに逆もどり。

まだだれも足を踏みいれていない森へ散歩に行くことを、想像してみてほしい。初めは、とても骨が折れるだろう。通った跡を草がすぐに覆い隠してしまい、なかなか道にならないからだ。

歩き
続ける

それでも毎日毎日同じルートを歩き続けていれば、しまいには道ができる。そして森の中を歩くのがカンタンになる。

脳の中も森の中と同じ。だから、数学の問題（またはサッカーのフェイントやゲームの「マインクラフト」のレベル53でも）をやればやるほど、練習すればするほど、神経のつながりが強化されて、だんだんラクにできるようになる。

道が
太くなる

道が
できる

力や知性ではなく、
地道な努力こそが
われらの能力を解き放つ鍵である。

ウィンストン・チャーチル
第二次世界大戦中の英雄、英国の首相

きみはたぶん思ってるはず。

「この話とマインドセットにいったい
どんな関係があるっていうの?」

どうやって「しなやか系マインドセット」を身につけるのかという話だと思ったら、そうじゃなくて、今度は脳みそのきたえ方の話だって?　きみは混乱しているかもしれない。

　だけど、**この話はつながっている。**脳に、物理的に変化して新しい神経のつながりをつくりだすという「能力」（まさしく「脳力」！）があるからこそ、「しなやか系マインドセット」が驚くほどの成果を上げられるんだ。

　同時に、**脳のこうした特性は、「人の能力は生まれつき決まっているわけではない」という事実**の証明でもある。練習してやれば脳は実際に成長し、今までできなかったことが次にはできるようになる。

　もちろん、きみの脳はプラスチックでできているわけじゃないけど、**「いろいろな形につくり変えられる」**というプラスチックと共通の性格を持っているんだ。真っ平らに伸ばしたり、エッフェル塔（とう）の形にしたりできるわけじゃないけど、脳内の神経回路を「リセット」して、うまくなりたいものが上達するような形状に変えちゃうことができるんだよ。

証（しょう）拠（こ）が見たいって？

　それじゃ、ぼくといっしょにタクシーの後ろの席に飛び乗って、運転手の頭を見つめてみよう。なぜかって？　この頭の中で、とってもスゴイことが起こっているからだ。

人間ナビ

　ロンドンの黒いタクシーは、「ブラック・キャブ」の名で世界じゅうに知られている。広いロンドンの反対側にある住所まで行ってほしいと運転手に頼めば、最も効率のいいルートで目的地まで確実に連れて行ってくれる。道に迷ったり、一方通行の道を逆に走ったりなんてこともない。

　地図やナビに頼らずに、どうしてそんなことができるんだろう？ブラック・キャブの免許を取るには、とても難しい試験にパスしなきゃならないからだ。その名も……

知識試験。

　ブラック・キャブの運転手には、ロンドンの約2万5000の道路と、何千という名所や施設の細かい知識をすべて頭に入れることが要求されるんだ。しかも、それぞれの場所へ、市内のどの地点からもまちがわずに行けなければならない。

　ナレッジ試験では、試験官がその場で思いついた始点から終点までの最短ルートを、くわしく説明するように言われる。とても頭の鍛錬が求められる試験で、運転手を目指す者は、その準備に何年も費やさなければならない。運転手のタマゴたちはみんな、スクーターで市内の通りを駆けぬけながら、山ほど練習を積み重ねて受験に備えるんだ。

複雑きわまる道路の情報をマスターした運転手の脳を、スキャンして調べてみたら、驚くべきことがわかった。

実際に脳の構造に変化が見られたんだ。

街中で練習を始めて間もないころに比べて、情報処理をつかさどる灰白質という脳の領域が大きくなっていた。つまり、ロンドンじゅうに張りめぐらされた道の構造を理解するにつれて、必要な情報を使いこなせるように、脳が新しい神経回路をつくり上げていたというわけ。

だから、いつかブラック・キャブに乗ったら、
ハンドルを握る運転手が大変な努力をして

スーパーな頭脳

をつくり上げたことを思いだしてほしい。

きみの脳だって、記憶や視覚処理にかかわるスキルを上手に使いこなせるように、特別に設計されている。ブラック・キャブの運転手も見かけはふつうの人だ。でも、通りを縫うように走る彼らを見れば、目の前に人間ナビが存在していると実感するだろう。

それはまた同時に、脳には、きみが
何かで突きぬける
ように助けてくれる、
すばらしい適応力があることを示しているんだ。

タクシー運転手とバス運転手
の頭の中を比べたら

さっきと同じような調査で、じつはバスの運転手の頭もスキャンされた。

バスの運転手も、たくさんの道を覚えなくてはならない。それでも、タクシー運転手の場合ほど多くはない。そこが大きなちがいだ。バスの運転手は定められたルートを走るので、ロンドンじゅうに網の目状に張りめぐらされた通りや細い路地、袋小路のすみずみまで覚える必要はない。

そんなわけで、バスの運転手の脳にも構造の変化が見られたんだけど、興味深いことに、タクシー運転手の脳ほど変化していなかったんだ。

バスの運転手になることは、ロンドンタクシーの運転手になるほど難しくないからだ。覚えなければならない通りの名前もそれほど多くない。運転手になるための訓練も、ブラック・キャブの場合ほど大変じゃない。

だからバスの運転手は、タクシーの運転手ほど多くの神経回路を、つくり上げる必要がなかったわけだ。

この話からわかること

○ 練習が難しければ難しいほど、たくさんの「神経のつながり（神経結合）」をつくることができる。

○ とにかく、たくさんやろう。数学ができるようになりたければ、問題を解くのをすぐに放りだしてしまわないこと。そんなことをしたら、脳の中でつながりかけた神経のつながりが、たちまち消えてしまうからね。どうせやるなら、成果を得たいじゃない？

だけどきみは、脳の神経回路づくりをまったくのゼロからスタートするわけじゃないよ。

じつはね、この後で話すんだけど、何かが上手にできるように脳を形づくるってこと、きみは知らないうちに、もう始めているんだ……。

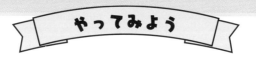

ちょっとだけ
キツい練習計画を！

　日常的に取り組んでいることを少しだけ難しくすることは、きみの脳が強くなるすばらしい方法だ。コワがらずに好奇心（こうきしん）を持って、どんどん新しいことを試し、その結果失敗しても気にしないこと。失敗こそが、きみの脳を成長させてくれるんだから。

　というわけで……いつもやっているサッカーの練習や数学の宿題、ダンスのレッスンを、「**普段（ふだん）よりちょっとだけキツいもの**」にしてみよう。きみの脳のために！

YOU ARE AWESOME

CHAPTER
4

練習すれば
~~「カンペキな」~~
「スゴい」レベルになるよ

とっても興味深い話がある。**ぼくたち人類は、いろいろな面でずーっと「レベルアップ」し続けているんだって。**

スポーツから科学にいたるさまざまな分野で、人類は、「過去の経験」を生かして水準を上げ、「頭脳」を使ってそれらの業績を発展させてきた。

1900 年のオリンピックでは、男子 100 メートル走の優勝記録は 11 秒 0 だった。ところが今日、練習のパワーによって、この記録は 15 歳以下の陸上選手権大会で何度も破られている。

あるいは、13 世紀にさかのぼってみよう。ロジャー・ベーコンっていうイギリスの学者は「数学をマスターするには 40 年くらいかかる」と言ったけど、ベーコンが言っていたような計算は今日、ぼくたちが学校で習う基礎的な内容になっている。

こうして、人類はつねにパフォーマンスを向上させている。すべては脳の可塑性のおかげなんだ。でも、きみはまだまだ練習しなくちゃならない。もし、きみが……

なりうる最高の自分
をめざすなら。

その一方でじつは、きみはすでに多くのことを、すばらしく上手にできているんだ。

知らないうちに上達していたこと

ここでちょっと読解のテストをしよう。
（ぶつくさ言わないように。「しなやか系マインドセット」はテストというものを歓迎するんだ。最高の練習になるからね！）

さあ、この文の意味がわかるかな？

ずーくル手め十はたのまバをいの十皮まをむかの袋はウむし。

じゃあ、これはどう？

ウールの手袋をはめたままバナナの皮をむくのはむずかい。

両方とも、同じ文字が 26 個並んでできている。ひとつめの文字列はめちゃくちゃでまったく意味をなさないだろうけど、ふたつめの意味は、カンタンに理解できるだろう。

なぜだろう？

それは、**きみが「ある高度なスキル」を、すでに身につけているからだ。** 文字の並びがひとつのパターンとしてすぐにわかるというスキルをね。つまり、きみの**「文字のパターン認識」**は一流レベルだっていうことだ。

もしも赤ちゃんだったら、さっきのふたつの文字列のちがいがわかるだろうか？　絶対にムリだ。生まれたとたん文字を認識できる人なんて、だれもいない。だから赤ちゃんには、どちらの文字の並びも、まったく無意味なものにしか見えない。

**きみは知らないうちに、
文字を読む練習にものスゴイ量の
時間を費やしてきている。
それはとほうもなく
複雑なスキルなんだ。**

考えたこともなかったでしょ？　で、そこからこうは考えられないかな。こんなに複雑な「読む」スキルを練習によって身につけられるんだったら、きみが練習をイヤがるあのバイオリンだってマスターできるんじゃない？　きみがお手上げだと思っている科学の話題だって、バッチリわかるようになるんじゃ？
　実際、できないはずはないんだ。

自分が知らないうちに山ほど練習してきた複雑なスキルは、ほかにもあるよ。

知らずに身についたスキル1

大勢の中から友だちの顔を
見分ける能力

　知っている人の顔を見分けるのは、じつは高度なテクニックなんだ。考えてみて。みんな似たような風ぼうじゃないか。

　目と耳がふたつずつで鼻がひとつ。でも、多くの時間を費やして人びとを見ているうちに、顔かたちのわずかなちがいが、はっきりとわかるようになる。たくさん練習を積むことで、ぼくたちは無意識のうちに、人の顔を認識するのがとても上手になったんだ。

　たとえば、40匹並んだネズミから、特定の1匹を見つけだすとする。1回目に選んだネズミを2回目にまた選びだすのは至難のワザだ。そうだろう？　どのネズミも同じに見えるからね。鼻がとがってて、しっぽに毛が生えてるヤツだ。

　ところが、1列に並んだ40人の子から自分の親友を見つけるとしたら、何度やってもまちがいなく選びだせるだろう（できなかったら友だちをなくしちゃう）。

ジャンケン

　ジャンケンは、何かを決めるときにいちばんいい方法だってだれもが知ってる。こんなにいいものを、政治家はなんでもっと活用しないんだろう。

　それはさておき、ジャンケンは脳にとって、とても複雑な思考プロセスだ。相手が出す手を次々と予測するのは、脳がバク転するようなもの。ジャンケンをすればするほど、きみの脳は相手の動きを読むのがうまくなる。ほら、お母さんはチョキを出すとき、きまって手つきが乱暴になるとかね。

　それに、もし3回勝負だったら、きみの脳はすかさず確率を考えだす。「お父さんは3回続けてグーを出すかな……」とかね。

　スゴイよね？　それなのに、だれが言ったんだ？　きみが数学できないなんて。

知らずに身についたスキル３

パターンを認識する

　ぼくたちが道路を横断するとき、左右を確認するのはなぜだろう？　あるいはサッカーの試合中、ノーマークでうまくパスを受けられる場所へ走りこめるのはなぜだろう？

　それは、**同じパターンをたくさん経験してきたからだ。**きみは危険性を判断する方法や、歩道に数秒とどまるメリットを学んできた。あるいは、チームメイトがたまには正確に蹴ってくれる確率をつかんだ。暴れ馬みたいにボールをピッチ外に出してしまわずにね。

警告

ぼくたちのパターン認識は、ときどき感度がよすぎる。だから、こんがり焼いたトーストがキリストの顔に見えたり、空にうかぶ雲がテイラー・スウィフトの最新の髪型にそっくりだ！　と思ったりもする。

というわけで、ぼくたちはすでに、たくさんの複雑なワザをキワめている。つまり、もうとっくにスゴイんだ。

　あとはただ、このスゴさを、きみがうまくなりたいと思うものにふり向ければいい。きみは、まちがいなく、あらゆるワザを身につけている。あと必要なのはたったこれだけ……

 # 練習。

ただし、練習なら何でもいいってわけじゃないよ。

ここで残念なニュース

　練習なら何でもきみの脳細胞（さいぼう）を成長させ、神経のつながりを増やしてくれるかというと、そうでもない。練習にもいろいろあって、そのうちの「あるタイプ」が格段に効果的なんだ。

　ちょっとがっかりした？

　いったいどんな練習をすればいいんだろう？

　時間は貴重だ。見当ちがいな練習に時間をロスするなんてまっぴらだ。

そこで、ちょっとこのチャートを見てほしい。
まず自分にカンタンな質問をする。

きみは自転車に
乗れる？

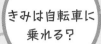

ノー

イエス

友だちの家の
まわりを走ってる
ばかりじゃ、
新しい神経回路を
つくれない

練習はラクじゃない。
だからこそきみは新しい
スキルを学び、
脳に新しい神経回路が
できていくんだ

じゃあ、
新しいことに
挑戦しよう

ウィリー（後輪走行）
ができるように
なりたい？

イエス

自転車に
乗れるように
なったかな？

イエス

ノー

ノー

マスターするのは
カンタンじゃない。
きみはいろいろと難しい練習
をしなくちゃならないけど、
それによって脳が
きたえられるだろう

そのまま練習を
続けて。
そうすればきっと
マスターできる

切手を集めるのはどう？
そのほうがリスクが
低いよ

わかってくれたかな？

ほんとうに効果がある練習、つまり、脳内に強力で長続きする神経のつながりをつくりだす練習は、きみにとって難しいけどやり甲斐（がい）がある練習だ。

そう、それは、**キツイ練習。**

きみの……

目に涙（なみだ）が浮かび、筋肉が悲鳴を上げ、脳が疲（つか）れる

ような練習だ。

　顔をしかめ、歯をくいしばるような練習は、そのときはつらいけど終わった後で気分がいい。なぜなら、何かを成しとげたという満足感が得られるからだ。そのとき、脳も成長している。

　逆に、自分がすでにやれることをいくら練習したって、上達は望めない。

きみは歩ける？

　たぶん、答えはイエスだろう。すでにカンタンに歩けるので、もっと練習しても、今より上手に歩けるようにならないだろう？

何を言おうとしてるか、わかるよね？

　たとえばソファに寝そべり、SNSを見ながら、片目でフランス語の単語を追うような試験勉強は、ちっともキツイ練習じゃない。
　ソファから起きあがり、フランス語の単語を見ないで、おばあちゃんを相手に何度か綴りをそらで言ってみる。それでやっと「キツイ練習」になる。きみは何問かまちがえるだろう。
　で、どうなるか？
　単語を学びなおす過程で、きみの脳に新しい神経回路がつくられる。そして、次にはもっと正確に単語を覚えているはずだ。

スゴイ子たちはみんな、キツイ練習——厄介で骨が折れる練習——によって何かを身につけている。それが成功の秘密だ。

　でも、ここで話したいのは、何かの分野で世界的に有名になった人のことばかりじゃない。きみももちろん、効果的な練習によって夢や目標をかなえられるんだ。

1 スポーツ

　自分よりうまい人たちと練習するといい。残念だが、きみより上手な人は必ずいる（きみが世界一でないかぎり）。難しいシュートや、テクニックを要するパスを練習しよう。利き足でないほうの足を使おう（サッカーの話だ。水泳ならもちろん両足を使おう）。

2 クラスでの発表

　発表する内容を鏡の前で暗唱してみよう。次にネコを相手に、それからお姉さんを相手に言ってみよう。気がすすまないかもしれないし、彼女（ネコまたはお姉さん）に笑われるかもしれない。でも、いざみんなの前で発表するときにグンとラクになる。

③ 数学

すでに解けるレベルの問題じゃなくて、**難しいと思う問題を解いてみよう。**お手上げ状態になったら、だれかに聞きに行こう。

④ 外国語を学ぶ

はずかしがらないで、とにかくしゃべることに尽きる。友だちや先生など、批評してくれたり、まちがっているところを教えてくれる人の前でどんどん話そう。

⑤ テスト勉強

ただノートをぼんやり見返しながら、勉強しているような気分になるのは NG。テスト本番の状態に慣れるように、**ちゃんと時間を計りながら過去の試験問題を解いてみよう。**

ぼくのお兄ちゃんを覚えてるかな？　あの競争心むき出しの。お兄ちゃんのほうがぼくより卓球がうまかった。ぼくに必要だったキツイ練習で、いつも相手をしてくれたのはお兄ちゃんだ。ぼくより速く、ぼくより強く、ぼくより上手だった（もしお兄ちゃんに会ったら、ぼくが言ったことはナイショにね。すぐ調子に乗るから）。

　卓球選手になってから、ぼくはヨーロッパじゅうを回って、自分より実力が上の相手と練習を重ねた。ものすごくしんどかった。最初はとても返せないような球を打ちこんでくる相手とプレーしなければならないからだ。
　でもおかげで、難しい球をオリンピックの試合で打ちこまれても、落ち着いて（リラックスすらして）対戦できたんだ。

　気を悪くしないでほしいんだけど、たとえばの話、練習相手がきみのお父さんだったら、ぼくの力は大して伸びなかっただろう。きみのお父さんが世界チャンピオンの張継科か馬琳でもないかぎり、おそらく対戦相手には不足だったと思う。
　たとえて言えば、自分の部屋を歩き回るくらいにカンタンだっただろうから。

スゴイ練習のコツ

これから紹介する話は、「めちゃくちゃ効果がある練習法」を教えてくれる。そして、効果的な練習法がいかにきみのワザをレベルアップしてくれるかを、証明している。

メッシの「スローモーション法」

世界的に有名なサッカー選手リオネル・メッシは少年のころ、フットサルと呼ばれるスポーツをしていた。フットサルは、小さいピッチで行われる5人制のミニサッカーで、とても難しい。

ピッチが狭いから、素早い動きが求められ、巧みなボールさばきを身につけられる。フットサルを経験した選手がサッカーグラウンドに出ると、試合のテンポがゆっくりになったように感じる。まるでスローモーションのように。メッシもそのひとりで、スピードの速いゲームで戦い慣れていたので、広いピッチで戦うサッカーは、状況を読むのも、攻めるのもカンタンに思えたんだ。

フランクリンの「暗記再現法」

「アメリカ建国の父」のひとりですぐれた政治家だっただけでなく、作家、科学者でもあったベンジャミン・フランクリンは、子どものころお父さんから、おまえは文章が下手だと言われた。

　そこでフランクリンは、**当時一流とされた書き手の記事を読んで覚えた。**次に記憶だけをたよりに、その内容を丸ごと書きだした。それから、自分が書いた文章を作家の元の記事と照らし合わせ、まちがいをすべて直していった。さらに、すぐれた記事を韻をふんだ文章に書きかえることもあったんだって。語彙を増やして文章力を磨くのに効果的だったからだ。

非常に有能な人びとはみな、
学び続け、成長し続け、
改善し続ける方法をたえず
探し求めている。

ベンジャミン・フランクリン

「考える木曜日法」

　2016 年のリオ・オリンピックに向けて意気盛んだった女子ホッケーのイギリスチームは、「シンキング・サースデー（考える木曜日）」という取り組みをしていた。チームは連日猛練習をしていたんだけど、なかでも木曜日にはへとへとになるまで練習した。そのうえ 1 日の締めくくりにコーチは、次の試合で起こりうる戦術的な問題をチームに考えさせた。

　ぐったり疲れた状態で難問に取り組む練習を重ねたおかげで、選手たちは、プレッシャーがかかる過酷な戦況でも素早く判断できるようになった（その結果どうなったかについては、144 ページをお楽しみに！）。

練習と根気強さのパワーを裏づける例を、もうひとつ紹介しよう。

有名な失敗 その2

J・K・ローリング

　あの大ベストセラー作家で、億万長者で、慈善事業家のJ・K・ローリングが失敗？？　史上最も成功したシリーズ小説、『ハリー・ポッター』の作者に挫折した過去があった？

　ああ、ほんとうだとも。

　『ハリー・ポッター』第1巻が出版されたとき、ローリングはまだ32歳。その後この小説のシリーズが続々と出版され、一躍有名人になった。ローリングが創りだした『ハリー・ポッター』の世界は、映画や演劇、そしてテーマパークにもなった。ローリングはまた、大人向けのベストセラー小説も生みだしている。

この華々しい人生のいったいどこに失敗が？

　じつは、ローリングは『ハリー・ポッター』第1巻をコーヒー・ショップで書いた。すぐ横のベビーカーにはまだ赤ん坊の娘がねむっていた。彼女はそのころ**失業していて一文無し**。のちに手にする資産や名声のかけらさえなかったんだ。さらに驚くべきことに、**完成した原稿は12もの出版社から断られた**。あの『ハリー・ポッター』をはねつけたなんて！

　でも、ローリングはあきらめなかった。まだだれも『ハリー・ポッター』の世界観を受け入れようとしていないときでも、作品の魅力を信じていた。そしてついに、この小説に魔法のような魅力を感じたある編集者からささやかなオファーがあり、ローリングの不屈の意志はようやく報われた。それからの成功はきみたちが知ってるとおりだ。

失敗は、私自身について、ほかの方法ではけっして学びえなかった多くのことを教えてくれた。失敗のおかげで、私には強い意志と、思っていた以上の自制心があることに気づいた。

J・K・ローリング

「フィードバック」って知ってる?

13歳のころ、ぼくはスパイになることを夢見ていた。そこで面白半分にこっそり物かげに隠れて両親の様子をうかがい、どこまで気づかれないか試したりしていた。不思議と1度も気づかれなかったものだから、ぼくはレディングのジェームズ・ボンドなんだとすっかり調子に乗った。「秘密情報部へ行く運命さ」なんて、スゴ腕のスパイ気取りってわけ。

今にして思えば、両親はぼくがテレビの後ろに隠れてることを最初からお見通しだったんだ。でも、少なくともぼくが地球の裏側を目指して花壇に穴をほるのをやめたことを喜び、気づかないふりをしていたんだろう。

だけど、今まさに007になる修業中と思っていたそのとき、ぼくはただ、ひとり無言で座っていただけだった。人から感想や批評(つまりフィードバック)がもらえなかったら、自分が少しはボンドらしくなってるかどうか、わかりようがなくない?

まるで暗闇でバスケットボールをやってるようなものだ。
リングにボールが入ったかどうかすら、わからない。

ちゃんと照明をつけて、今のシュートがゴールから大幅に外れていたのか、それともミリ単位のズレだったのかわからなければ、次のシュートを修正しようがない。

もしフィギュアスケートや体操の選手が回転や宙返りの新しいワザを試したら、その場でフィードバックが得られる。なぜかって？　やり方がまちがっていればゴツンと氷や床（ゆか）に頭をぶつけるから。そりゃあ痛いだろうけど、どこかを修正しなくちゃとすぐにわかる。

**きみも何かをすごくうまくなるには、
この頭ゴッツンの代わりになるフィードバックを
見つけなきゃならない。**

いちばんいいのは、パフォーマンスのどこを改善すべきかを率直に言ってくれるだれかを見つけること。先生やコーチ、友だちなど、だれでもいいけど、肝心（かんじん）なのは、

**その人が正直な意見を言ってくれると
信頼（しんらい）できることだ。**

もし独力でうまくなろうとする場合には、きみ自身が自分の批評家になろう。カギは、自分のできばえを正しく評価すること。それが、何かを学んで上達するのに最も確実な方法なんだ。

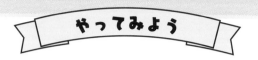

今すぐ効果的な練習に変える方法

○きみがずっとうまくなりたいと思ってきたものを思い浮かべて。

○自分の能力を伸ばすために、今までより難しい練習法を3つ考
　えよう。

YOU ARE AWESOME

CHAPTER
5

「天才」
ってどんな人?

こんな人を見たら、どう思う？

○ ゴールから 40 メートル以上の位置から目が覚めるようなフリー
　キックを決めるサッカー選手

○ きっかり 5 分で勝つチェスのグランドマスター

○ きみのクラスで、どのテストでも決まってトップになる子

○ セリフがすらすら言えて、全然あがらない学芸会のスター

○ 卓球台から 15 メートル離れて、カンペキなスマッシュを決める
　選手（ぼくもできる。いや……少なくとも以前はできた）

　そりゃあ、ヨチヨチ歩きのビヨンセや、ボールをまだ蹴ったこと
がないネイマールなんて想像できないよね。でも世界的なスーパー
スターだって、きみやぼくと同じように人生をスタートしたはずだ。

　つまり今日のビヨンセやネイマールになるまでに、彼らはあら
ゆるチャンスを逃さず、失敗をコワがるかわりに新しいワザにどん
どん取り組んできたんだ。

達人たちがどうやって
その道をキワめてきたかを理解するのは、
「しなやか系マインドセット」
を身につけるうえで、とても大切なことだ。

スゴイ子の場合

　ここでちょっと、全英卓球選手権の決勝を見ていたふつうの子を思い出してみよう。ふつうの子には、画面上のスゴイ子の超人的なスピードが信じられなかった。その若い選手の顔にどこか見覚えがある気がしたけど、何より目を奪われたのは、試合を思うままに支配する、スゴイ子のテクニックだった。

見たこともない
スゴワザ
だったんだ！

　ふつうの子はソファに脚を投げだし、お母さんがふいに入ってきやしないかと横目でドアのほうをうかがいながら、スゴイ子が優勝する瞬間を見守り、なぜだか気落ちしていた。

ふつうの子はこう思ったにちがいない――スゴイ子は生まれつきスゴくて、それ以外の子は何をやってもパッとしないままなのさ、とね。ここでふつうの子が一時停止ボタンを押し、「あのすばらしい試合をするまでに、スゴイ子はどれほどの努力を重ねてきたんだろう……」って考えてみたらよかったんだけど。

ふつうの子に見えていなかったもの

輝かしい栄光の瞬間――スゴイ子が卓球の全国チャンピオンになったとき、ふつうの子の目に映ったのはそれだけ。そう、ふつうの子には見えていないものがあった。ここにいたるまでの長くて険しい旅路だ。じつのところ、スゴイ子は厳しい練習に**膨大な時間**を費やしてきたんだ。

きっと勝利の瞬間にすべての苦労が報われたにちがいないけれど、スゴイ子だって、それまでの道のりで何度も自信を失いかけた。疲れやボロ負け、ときにはスランプも達人への道に立ちはだかる障害物だ。そういう障害を乗りこえるには並はずれて強い意志がいるけど、それを学びの体験に変えるには、さらにゆるぎない決意が必要だ。

そして、そうした試練や困難の末に
手に入れたからこそ、
スゴイ子の勝利は
最高にすばらしいものになったんだ。

自分もかつて、スゴイ子と同じ場所にいたのだと、
ふつうの子が知っていればなぁ……。

ふつうの子にも、卓球の達人になり、
さらにチャンピオンだって目指せるチャンスが、
平等にあたえられていた。

でも、ふつうの子は、ラクなほうの道を選び、卓球から遠ざかってしまった。そうして、自分自身が歩めたかもしれないすばらしい道の**ゴール**にだけ目をやり、スゴイ子が成しとげたことは、自分にはとうてい手が届かないものだと思ってしまったんだ。

だれだって失敗する！

　ぼくたちが達人のパフォーマンスを見るとき、「興ざめな部分」はあまり見たくないものだ。

　たとえば、チケットを買って行ったコンサートでピアニストが暗譜していなかったり、レーサーが何度も車をエンストさせたらがっかりだ。
　そのせいか、成功といえば表面ばかりで、**水面下**を見ようとしない。

ぼくたちは、時代遅れの才能コンプレックスになりがちだ。

つまり、目の前の達人たちは、生まれた瞬間から才能を約束されていたものと信じてしまう。そしてほーら、あっという間に「かちこち系マインドセット」に逆もどりというわけ！

そうじゃなくて、

ポジティブなしなやか系マインドセットに乗っていこう！

そのために、きみの背中を押してくれる話をもう少し……。

有名な失敗 その3

ジェイ - Z

　ミリオンヒットを連発し、グラミー賞を何度も取っているラッパーのジェイ - Zにも失敗の過去が？　あの億万長者で実業家の？　本物のビヨンセと結婚までしているあのジェイ - Zに？？

　ジェイ - Zは、史上最も成功したミュージシャンであるだけでなく、自身のレコード・レーベルを設立し、多くのファッションブランドや飲料ブランド、テクノロジー企業、音楽配信サービスを経営。そのうえ（これは何度でも言いたい！）、あのビヨンセと結婚しているんだ！

いったい全体、どこのパラレルワールドで、
ジェイ‐Ｚが失敗したって言うんだ？

音楽ビジネスの世界に入っていくのは容易じゃない。ジェイ‐
Ｚも、駆けだしのころにそれを思い知らされた。ヒップホップアー
ティストだった彼は、契約してくれるレコード会社を必死になって
探したものの、チャンスをくれる会社はひとつもなかった。でも、
そこであきらめずに、ジェイ‐Ｚは**車でＣＤを１枚１枚売って
まわったんだ**。そしてついに自分のレーベルを立ちあげた。

そこから先はご存知のとおり。ジェイ‐Ｚは独自の音楽を世に
送りだす発射台をつくり上げただけじゃない。世界で最も成功し、
先見の明ある実業家のひとりでもあり、ミュージシャンで女優の
リアーナをはじめとするスターも誕生させているんだ。みごとな逆
転勝ち！

オレに負けはない。
敗北のさなかでも
貴重な教訓をつかめるから、
それで帳消しになる。
どんな成功より、失敗をとおしてのほうが
多くを学べるものさ。

ジェイ‐Ｚ

きみにとってノリがよくて楽しい
「しなやか系マインドセット」
を見つけよう

　ぼくたちは神経の可塑性（かそ）について見てきたよね。何かをすごくうまくなるのに必要な神経のつながりは、つくり上げるのに長い時間がかかる。

それなのに、だ。

才能は生まれつきのものだという考え方は、
そこらじゅうに、はびこっている。

ロジャー・フェデラーは
「DNAにテニスが刻（きざ）みこまれている」
と言われてきた。
リオ五輪で金メダルを4つも取った
体操選手のシモーネ・バイルズは、
アメリカで「天性の命知らず」と呼ばれてきた。
まるでこの世に生まれたとたん、
3回転して着地を決める能力があったみたいにね。
タイガー・ウッズもそう。
「ゴルフをするために生まれてきた」
と言われ続けてきた。

そこでどうだろう、ぼくといっしょに
有名な「天才神話」
をくつがえす旅に出てみない？

モーツァルト

世間の見かた

モーツァルトは神童で、6歳のころにはバイオリンやピアノの小曲を作り、10歳の誕生日を迎えるまでにたくさんの曲を作っていた。文句なしに、モーツァルトは生まれつき音楽の天才だった。

事実

モーツァルトの父も作曲家、演奏家であり、音楽の教師でもあった。そのうえ、とても教育熱心で、モーツァルトが3歳のときから徹底的に音楽を教えた。**6歳になるまでに、モーツァルトはじつに3500時間もの練習**を積んでいたんだ！

幼いうちから曲を作ったモーツァルトは、たしかに神童と呼ばれてしかるべきだけど、それは厳しいお父さんが目を光らす中で山ほど練習を積んでいたからだ。

モーツァルトの代表曲に、21歳で作曲した『ピアノ協奏曲第9番』がある。たしかにかなり若いけど、モーツァルトはすでに立派な大人だった。21歳になるまでには、さらに多くの練習を積んでいたはずだ。

つまり、生まれた瞬間から天才だったというより、モーツァルトはとても幼いときに音楽でズバぬける道を歩みだし、一歩一歩努力を重ねて、達人へのステップを上がっていったんだ。

私も必死に努力しなければ
ならなかった。
もうこれ以上、努力しなくてすむようにね。

モーツァルト

伊藤美誠

世間の見かた

　小さいころから大会で勝ち続けていたエリート中のエリート選手。

事実

　2歳から卓球を始めて、4歳から8歳までのあいだは、なんと毎日7時間練習をした。そのおかげもあって、実際に小さいころからいろいろな大会で勝っていた。

　小学校6年生のときに書いた作文は、タイトルが「オリンピックに出て優勝したい」というもので、どうやったらオリンピックに出られるか（「まず日本の大会で上位に入ると海外の試合に出られるようになる。海外の試合に勝って世界ランキングを上げると、オリンピックに出られる」）まで書いてあった。

　中学生のころから、コーチといっしょに毎日ノートをつけていて、**その数はもう80冊を超えている。**試合前には対戦相手の分析、試合後にはどんな戦法が効いたかを記録しているんだ。

　それでも、負け知らずなわけじゃない。というか、**一番大事な試合で負けてしまったんだ。**

　それは、2016年のリオデジャネイロ・オリンピックの女子団体戦、ドイツとの準決勝。作文に書いたとおり出場した晴れ舞台、しかも9対3とリードした状態から、逆転負けしてしまう。それも響いて日本はドイツに負けてしまった。

　ふつうなら立ち直れなくなってしまうかもしれない。でも彼女（かのじょ）は、試合後こう言った。

「思いきってやる。今日の負けを生かして頑張り（がんば）たい」

　このハートの強さと前向きさで、伊藤は、3位決定戦でダブルス、シングルスの両方で勝ち、**銅メダルを勝ち取ったんだ。**

「私は2016年には
オリンピックに出場して、
2020年には団体と個人戦
で優勝したい」

伊藤美誠
（小学校6年生のとき書いた作文）

八村 塁

世間の見かた

生まれながらのアスリート。恵まれた体格を生かして日本人初のNBAドラフト1位指名。

事実

たしかに203センチの身長は選手として恵まれている。だけどここでは、NBAで求められる、バスケの技術以外にもうひとつ重要なものについて話をしたい。それは英語だ。

高校卒業まで日本で育った八村塁は、**英語が大の苦手だったんだ**。でもNBAという夢を抱いてアメリカの大学への進学を決めた高校3年のときから、英語の猛特訓を始めた。いくらバスケが上手でも、英語と数学（英語で答える）のテストをパスしないと入学ができなかった。

八村は昼休みに英語のマンツーマンレッスンを受けた。さらにバスケの練習のあと、毎日8時間勉強した。そしてみごと、ゴンサガ大学に入学できたんだ。

でも、それで終わったわけじゃない。なんと、まだ足りなかった。大学のチームメイトとうまくコミュニケーションがとれなかったんだ。そこでまたまた猛特訓だ。大学の語学センターのサポートを得て、練習の合間や移動中まで英語漬けの日々を送った。

それだけじゃなく、秘密の方法もあった。**ラップ音楽、映画、ドラマ、ゲームからも英語を学んだんだ！** 自分が好きなものを勉強と結びつけたんだね。そういう方法ならだれでも楽しめるんじゃないかな。

そうやって英語力をアップした八村は大学で主力選手として大活躍し、みごとNBAからドラフト1位指名された。快挙を成しとげた裏には、そんな苦労もあったんだよ。

「コミュニケーションはほんとうに大変だった。
日本に帰りたいと思ったけど、
できなかった。
大きな目標があったから」

八村 塁

ブロンテ姉妹

世間の見かた

三姉妹のそれぞれがすぐれた文学作品を残したのだから、きっと何か特別な遺伝子を共有していたにちがいない。

事実

三姉妹が育った19世紀イギリスのヨークシャー農村部では、テクノロジーらしき物は何もなかった。インターネットもテレビもない暮らしのなか、シャーロット、エミリー、アンは、**自作の短編小説をたがいに読み聞かせるのを娯楽にしていた。**

3人は架空の人物がたくさん登場する空想の世界を創りあげ、いっしょに書いた台本を演じ合った。そして必ず、**作品にたいする正直な感想を言い合った。**姉妹は強いきずなで結ばれていたので、おたがいの力作を前向きに批評し合えたんだ。このことは、作品の向上に大いに役立った。

そのうちに姉妹は、マッチ箱くらいの大きさの手帳に物語を書きためていった。大人にのぞかれたり、台なしにされないために。3人が書きあげた小説の数は**数百**におよぶ。ひたすら書くことで姉妹の想像力はいっそう高まり、文章力や創作技術も磨きあげられていったんだ。

姉妹が大人になってからのある日、長女のシャーロットはエミリーが書いた詩を見つけた。感心したシャーロットは、3人で協力して詩集をつくろうと妹たちにもちかけた。仲がよかった姉妹

は、このときもまた有意義な批評をし合い、助け合うことができた。その詩集はついに出版され、三姉妹が作品を書き続けるうえでとても励みになった。

　そしてとうとう姉妹は、のちに大きな意味を持つことになる文学作品を書いた。それは『ジェーン・エア』（シャーロット）と『嵐が丘』（エミリー）で、どちらも今日にいたるまで広く読まれ、愛されている最高傑作だ。
　3人は歴史に名を残した。だけど姉妹の作品は、たまたまできたものじゃない。名作を生みだすまでの長い年月、ブロンテ姉妹は協力しながら小説を書く練習を重ねていたんだ。

デビッド・ベッカム

世間の見かた

　イングランド代表選手として活躍したデビッド・ベッカムは現役中、フリーキックによるゴールをじつに65回も成功させている。もしサッカーに関心がなくても、フリーキックによる65得点はスゴイ偉業だと知っておいてほしい。で、ベッカムは人びとからこう言われるようになった。「まるでフリーキックをしながら生まれてきたみたいだ」とか、「きっとDNAにサッカーが組みこまれてるにちがいない」ってね。

事実

　デビッド・ベッカム（現在は引退）はとても優秀なサッカー選手だった。イングランド代表選手だったほかに、マンチェスター・ユナイテッドやレアル・マドリードなどでも活躍した。あるとき記者から、あなたはスパイク・シューズを履いて生まれてきたんでしょうと言われると、ベッカムは笑いながら言った。

「ぼくが子どものころ、どんなに頑張って練習していたか、だれも見てないからね」

　ところで、きみはリフティングを何回できる？　ぼくは4回がやっと（それもボールが大きめで、うまくいけばの話……）。**ベッカムの7歳のときの記録は3回だ。**ぼくたちとあまり変わらない。

　それなのに、度肝を抜くような回数できるようになった理由は何だろう？　それを尋ねるのにうってつけの人は、ベッカムのお母さんのサンドラだろう。

「あの子の熱心さには、ただただ驚かされていましたよ」

　そうサンドラは言う。いつもキッチンの窓から見ていた息子の姿を、昨日のことのように覚えている。

「学校から帰るとすぐに練習を始め、父親が仕事から帰ってくるまでずっと続けるんです。それから父親といっしょに公園へ行って、さらに練習。とにかく練習好きという点では、並はずれた子でしたね」

　ベッカムはじょじょに上達していった。半年経つとリフティングが 50 回できるようになり、**さらに半年後には 200 回**になった。これだってじゅうぶんな数だろう？

　だけどベッカムは **9 歳**になるころに、だれもが息をのむような新記録を出した。なんと **2003 回**だ！　やり終えるまでに 15 分もかかったので、しまいには両足が痛くなっていた。

なにも小さいときからひとつのことに専念するのがいい、と言うつもりはない。たいていは、たくさんのことを試して楽しんでから、とくに熱中できるものを選ぶほうがいい。

　言いたいのは、神童と呼ばれるような子にとってさえ、成功への道は長い旅だということだ。

神童たちは遺伝(いでん)によって成功するわけじゃない。

ただ成功への旅を、人生のとても早い時期にスタートさせているだけなんだ。

熱中が大好物！

「人間計算機」

世間の見かた

だいたいの人は、数学が得意か苦手かのどっちかに分かれる。得意な人の中には、「数字に強い脳」を持つ人がいて、気が遠くなるような計算を頭の中でやってのける人もいる。

ふつうの人は 9 × 12 の計算にさえ手こずるかもしれないが、1929 年（テレビがやっと開発されだし、ケータイ電話はまだ影も形もないころ）にインド南部のバンガロールに生まれた女性、シャクンタラ・デヴィは、13 けたの数字のかけ算（たとえば 6,984,701,679,175 × 8,354,123,953,691）をきっかり 28 秒でできた。

事実

こんな計算ができるなんて、妖精のおかげ？　天性の才能？それとも何かのメソッド？　あるいは、**暗算を練習する方法**でもあるのだろうか……そう、ぼくはそれだと思う。

どう、試してみない？

それでは、23×17をやってみよう。

ちなみにこれは、ぼくの友人が実際に仕事の面接で聞かれた計算だ（彼女は正解したのに、仕事をもらえなかった。理由はいまだにわからない）。

きみは暗算で答えが出せるかな？

もしかしたら、できるかもしれない。でも、たぶん難しいだろう。だから5段階に分けてチャレンジだ。

ステップ1
23 × 10 は？　答えは 230 だね
（この解を小計として覚えておこう）。

ステップ2
20 × 7 は？　答えは 140 だね。

ステップ3
頭の中で 140 と 230 を足すと、370 になる。

ステップ4
これはやさしい。3 × 7 で答えは 21 だね。

ステップ5
370 に 21 を足すと、

答えは391。

これがファイナル・アンサーだ。

正解！

わりとカンタンな5段階の計算をすれば、答えが出せるんだ。気をつけるのは、計算の手順を覚えておくことと、あとで合計する小計を忘れずにいること。それだけだ。

もうちょっとだからついてきて！　つまり、きみは何度かかけ算をする。その度に小計を覚えておく。それだけ？

そう、それでおしまい！　数学の妖精なんて出番がない。

難しそうな計算が、「あれ？　そんなでもないな」って、突然（とつぜん）思えてきただろうか。たぶん「人間計算機」と呼ばれる人びとも、超人的な遺伝子（いでんし）を持っているわけではないんだ。たしかに、123×456を計算しようとしたら、ステップはもっと増えるだろう。さらに6,984,701,679,175×8,354,123,953,691を計算するなら、もっと増える。でも、計算の方法はまったく同じだ。しかもそんなに難しくない。きみがやってみようという気になればね。

スタートで最も賢い（かしこ）人が、ゴールでも最も賢いとはかぎらない。
心理学者キャロル・ドゥエック

天才児とレジ係の暗算対決

　あるフランスの科学者が、「数学の神童」として知られたふたりの子どもと、フランスの百貨店（ボンマルシェ）のレジ係に暗算対決させた。それぞれに 3 けたのかけ算（たとえば 768 ×376）をさせ、比較したんだ。レジ係のグループは、特別な才能は何もなく、ただ 14 年間、毎日商品の値段を計算していた人たちだった。それは 1896 年のことで、電卓はもちろん、レジ機もまだない時代。レジ係たちはすべての計算を頭の中でやっていた。

　結果はなんと、**レジ係の計算**のほうが、神童たちより正確でスピードも速かった。**14 年にわたる、仕事での訓練**によって、計算能力がトコトン磨きあげられていたんだね。

生まれつきの才能のほんとうの姿

次の言葉は、成功している人やチームが
大切にしているものとしてよく挙げられる。

信念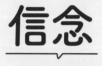

自分自身に
挑戦すること

 練習！

オープンな心

山ほど失敗
すること

何度も何度も
くり返すこと

自信 努力

だから、きみがこの次、「人間ばなれしたパフォーマンス」を見たら、達人たちの身になって想像してみてほしい。

その華麗《かれい》なパフォーマンスの瞬間《しゅんかん》までに、どれほど失敗したか思いをめぐらせよう。そして、達人たちもかつて夢を抱《いだ》き、それを実現しようと決心して、ぼくたちと同じ場所からスタートしたことを忘れないように。

ぼくたちは今、スゴイ子になるミッションの真っただ中。「しなやか系マインドセット」を手に入れ、ぼくたちの神経結合は今、ジャスティン・ビーバーのファンクラブよりスゴイ勢いで増えている。それに、最も効果的な練習方法も知っている。

何かをすごくうまくなるには、
しばらく時間がかかる。
それに山のような練習が必要だ。
でも、だいじょうぶ。
ぼくたちはチャレンジする意欲で満々だ、
そうだろう？

じゃあ、さっそく取りかかろう！

何かをうまくなるために
絶対欠かせないチェックリスト

✓ 「しなやか系マインドセット」を身につけている

✓ しくじっても失敗だと思わず、
  学べる「機会」だととらえている

✓ 上達するためなら、
  難しい練習を山ほどする覚悟（かくご）ができている

きみのしなやか系マインドセット
を呼びだすおまじない

うまくいかないときは、
とにかく次の言葉を口に出してみよう。

◦ ねばり強くやれば、やりとおせる

◦ ぼくは（わたしは）前を向いている

◦ これは、ぼくが（わたしが）ほんとうに
  誇（ほこ）れるものだ

YOU ARE AWESOME

CHAPTER
6

人生を変えちゃう
「マージナル・ゲイン」
って？

　2016年オリンピックの女子ホッケー決勝──それは彼女たちの人生をかけた一戦だった。が、試合は同点で決着がつかず、イギリスチームは緊張みなぎるシュートアウト戦（両チーム5名の選手がゴールキーパーと1対1の勝負を行い、最終的にシュートを多く決めたチームが勝つ）に立ち向かうことになる。試合中、チームは数々の圧巻プレーを披露してきたが、金メダルを手にするためには、もうひと頑張りしなければならなかった。

　観衆は眼をこらし、母国で見守るファンたちは固唾をのんだ。イギリスのメンバーがひとりずつゆっくりと進みでる。
　そして決めた！
　イギリスが金メダルを獲得。チームは歓喜にわいた！　これまでの努力が報われた瞬間だった。

でもね、いつもこんなふうだった
わけじゃない。

　2004年のアテネオリンピックに、イギリスの女子ホッケーチームは出場すらできなかったんだ。北京オリンピックでは6位入賞。まだまだ先は遠かった。そしてイギリスの人びとは「かちこち系マインドセット」の思考パターンにハマり、自国のホッケーは**「まあ、こんなところだろう」**と考えていた。

　だけど2012年ロンドンオリンピックでは調子を上げ、チームはみごと銅メダルを獲得した。ところが、そのあと災難に見舞われる。コーチが引退し、チームは求心力を失ってしまったんだ。
　そして2014年のワールドカップでは、11位に終わってしまう——大幅な後退だった。しかも、リオ・オリンピックがわずか2年後に迫っている。メダルをねらうのはおろか、チームの調子を立て直すだけでも大変な状況だった。

もちろん、金メダルなんて夢のまた夢……。

何か手を打たなければならない。そこでチームは——

ある作戦 を立てた。

イギリスのラグビーや自転車のチームが、

「マージナル・ゲイン」

という考え方を
取りいれて成功したのを見て、
それを手本にしたんだ。

「マージナルなんとかって？」
と、きみはきっと聞き返すだろう。

マージナル・ゲインは難しそうに聞こえるけど、じつは超カンタンで、画期的なアイデアなんだ！

それは、
**大きな目標を小さなパーツに分解し、
その一つひとつに
「マージナル・ゲイン（＝ほんの小さな改善）」を加えて、
そのほんの小さな改善をあわせることによって、
全体のパフォーマンスを
大幅に改善するという作戦だ。**

イギリスの女子ホッケーチームは、これをさっそく実行した。リオで試合に勝つために改善が必要な課題を、一つひとつ検討していったんだ。それはそれは小さなことだ。実行された**改善の例**をいくつか見てみよう。

1 練習開始時間の 10 分前集合

　ホッケーチームは、練習プラン全体を練り直した。

　まず手始めに、トレーニングが始まる**10 分前に集合**することにした。毎日必ずだ。それまでは、開始時間ちょうどに集まっていた（遅れてくる者もいた）ので、準備を整えるのに最初の 10 分をムダにしていたんだ。ヘッドフォンを外したり、バッグを片づけたり、ボトルに水を入れたりしてね。わかるだろう？

　考えてみてほしい。1 日 10 分のダラダラを週に 5 日だ。1 年はだいたい 50 週だから、なんと**1 年で合計 42 時間**もトレーニングの時間を失うことになる。それって、**まるまる 1 週間分**だ！

　つまり、100 パーセント準備が整った状態で練習を始めるように改善するだけで、

42時間もトレーニング
の時間が増える。

これこそが「ほんの小さな改善」の効果なんだ。

② イライラを減らすルールづくり

オリンピックでメダルを取るには、試合当日を「最適な精神状態」で迎える必要がある。準備が万全で、気分が乗っている状態だ。大勝負に向けて、闘志とポジティブなエネルギーがみなぎっているのが理想といえる。

逆にいえば、その日にメンバーの機嫌が悪かったら、控えめに言ってもけっしてプラスにならない。だから、選手たちが不機嫌になる状況はなるべく避けたい。

たとえば試合会場まで移動するバス。とにかく静かに過ごしたい選手が、ずーっと音楽を聴いてるチームメイトと隣りあわせになったら……？ あるいは、きれい好きで落ち着いた雰囲気を求める選手の横で、部屋じゅうにユニホームを散らかすようなチームメイトが着がえていたら（お気に入りのテニスの短パンが見つからないときのお父さんみたいに）……？

悲惨のひと言だ！

だから、そうならないように
ルールを決めたんだ。

チームは、バスの中で静かにしていたいメンバーを集めて、いっしょに座らせた。移動のたびに必ず。そして、音楽を聴くのが好きなメンバー同士も必ずいっしょに座らせた。それから、きれい好きなメンバーは更衣室のこっち側、散らかすメンバーはあっち側と、場所を分けるようにした。

どれもほんとうにささやかな変更だった。でも、それらをルーティン化することで、**試合前の選手たちの気分をよくする**ことに成功したんだ。

そりゃあ緊張するのは変わらなかったけど、イライラが減った分、メンバーは以前より、はるかに集中できるようになった。

これも、「ほんの小さな改善」だ。

3　本番に慣れる予行練習

　すでに見てきたように、ひとくちに練習といっても、じつにさまざまなやり方がある。この女子ホッケー・チームの場合には、プレッシャーの下で判断をくだすのに慣れておくために、「シンキング・サースデー」という超過酷な取り組みをしていた（これはもう話したよね）。

　チームはまた、できるだけ**「実際の」試合のコンディションに近い状態で練習**しようと心がけた。たとえば、8月のリオの天候を想定し、それに合わせた練習をした。さらに、イギリスの練習用グラウンドをリオのピッチそっくりに似せて、その雰囲気に慣れておけるようにしたんだ。

　わざわざ決勝会場と雰囲気がちがうピッチで練習することもないよね？　現地に行く前に、リオのピッチの状況をすみずみまで想定しておくのは、まちがいなくプラスだ。

　もちろん、それによってオリンピックで優勝できるわけじゃないけど、**またひとつ小さな強み**を積みあげられるはずだ。

そう、もうひとつの「ほんの小さな改善」を。

そして全力で戦う意気に燃えた女子選手たちが、
すべての「ほんの小さな改善」を結集したとき、
その戦力がとてつもなく向上し……

オリンピックでみごと

金メダルを

獲得したんだ！

要するにマージナル・ゲインとは、
いい変化につながる小さなことを見つけては、
一つひとつ変えていくことなんだ。

　これならぼくたちにもできる。

　近ごろ、マージナル・ゲインはスポーツに限らず、さまざまな分野で取りいれられている。ビジネスでは、効率を上げて、利益を増やすために活用されている。軍隊でさえ、いいアイデアだとして注目しているんだ。だったら、ぼくたちも「スゴイ子への旅」で使わない手はないでしょ?

　大きな課題に直面するたびに、圧倒（あっとう）されそうに感じるのは当たり前のこと。

　たとえば、大事な試験が迫（せま）っている。良い成績を取るには、テスト勉強をしなきゃならない。だけど、やらなきゃならないことが多すぎて、どこから手をつけたらいいかわからない……。

　こんなとき、いちばん肝心（かんじん）なのは、**勉強の計画を立てること**だ。

　まず、やるべきすべてのことを、試験までに使える時間内に、無理なくおさめる予定表をつくるんだ。もちろん、得意・不得意があるから、苦手な学科にはとくに時間をさく必要があるだろう。

　計画表さえあれば、勉強を順にこなしていくのがグンとラクになる。試験当日までに各学科の準備が間に合うと見通しが立っているからだ。

　つまり、勉強の作業量を無理なくこなせる量に切り分けていくことが、テスト対策のカギってわけ。マージナル・ゲインもこれと同じで、次の**単純な**ステップで成りたっている。

大きな課題を取りあげる

それを小さなパーツに分ける

それぞれのパーツについて調べ、改善の余地があるものに取り組む

すべてのパーツを合わせて、パフォーマンスの大幅な改善につなげる

きみも「マージナル」してみよう！

「**ブロック**」のことは、まだ話してなかったよね？　ぼくにとってはすごく大切なものなんだ。まだ紹介してなかったのが信じられないくらいだよ。

　ガレージで卓球をしていないとき、お兄ちゃんとぼくが何をしていたかというと、ブロックに夢中になっていた。

　ブロックとは、ぼくが育った家をぐるり取り囲む3つの通り（次のページの図を参照）の歩道を、ランニングコース（全長850メートル）に見立てたものだ。

　うちに来た人は、みんな必ずブロックに挑戦することになっていた。ぼくたちは全員のタイムを計って、それを全部記録した。そのノートは今でも取ってある。

　お母さんもトライしたけど（歩いて）、お父さんはなんと途中で迷ってしまった。迷うほうが難しいはずなんだけど……。教区の牧師さんまで走って、なぜかびっくりするほど速かった。

　ブロックがどんなものか、わかってくれたかな？　とにかくだれもが走らずにいられなかったし、みんながハマってた。でも、とりわけ盛りあがったのは、お兄ちゃんとぼくとクラスメイトたちの競争だった。

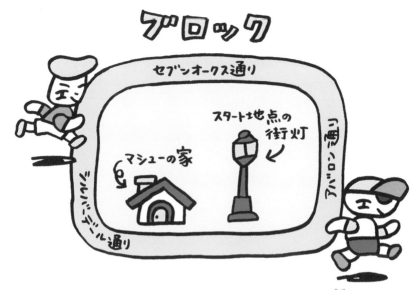

お兄ちゃんのアンドリューが、ブロック1周3分の壁を破るタイムを出したときといったら、ぼくらはまるで金メダルを取ったような喜びようだった。アンドリューとぼくは、その足でマーク・オーサーソンの家へ報告しに行った。彼がそれまでの最高タイム（3分1秒）保持者だったからだ。少なくともぼくらにとっては、歴史的な記念日だ！

しかも、話はこれで終わらなかった。今度は、打倒アンドリューがぼくの目標になったんだ。アンドリューがブロックのトップでいるなんて──お兄ちゃんの名が記録帳でさんぜんと輝くなんて、そんなの冗談じゃない。

絶対にイヤだったからね。

なんとかしなくちゃ……というわけで、ぼくはマージナル・ゲイン作戦を決行することにした。

「ブロック」にかかわるすべてを、できるだけたくさんの要素に分解して考えてみた。それを書きだしたのが、次のリストだ（というかそれに近いもの。アンドリューに秘密を知られないように、実物は破棄した）。

こうしてぼくは、
マージナル・マシューになった。

どうしてもブロックで
勝ちたかった。
だから作戦が必要
だったんだ。

マージナル・ゲイン作戦のリスト

―――― 評価と改善 ――――

目標
①ブロックで３分を切るタイムを出すこと、②お兄ちゃんに勝つことの両方を達成する。

運動の日課
平日は学校で忙（いそが）しいので、卓球は夕方に練習している。毎週水曜に水泳をし、日曜にはお父さんとランニングをしている（お父さんが道に迷わないように）。

睡眠（すいみん）のパターン
ベッドで読書するのが好きで、ときどき夜ふかしをしてしまう。金曜の晩はよく友人の家に泊（と）まる。

食事
たいてい健康的な食事を心がけているけど、ときどき学校に遅（おく）れそうになると朝食をぬいてしまう。

ランニング用品
ランニング・シューズは新品だ。冬のトップスは長袖（ながそで）しか持っていないので、ときどき暑すぎる。

準備運動

きちんとやれていると思うけど、ウォーミング・アップのストレッチが少し足りないかもしれない。

走り方

スタートで飛ばし過ぎて、タイムが伸びないことがある。ペース配分をうまくすれば、もっとラストスパートをかけられるはずだ。

すべての要素を書きだしたら、もれなく検討でき、お兄ちゃんに勝つという目標達成に役立つものを見つけやすくなった。

そこで次に、「勝ちたいなら改善する必要があるもの」を書きだした。また、効果があったものは、必ずマーカーで強調しておくようにした。

運動の日課

日曜のランニングの時間を長くし、走るスピードをもっとゆっくりにする。スタミナを養うのに役立つだろう。

睡眠のパターン

週末のランニングに備えて、金曜の晩は早寝する。友人宅への外泊は土曜の晩にする。

食事

朝食をぬかないようにする！　朝食をとることはとても大事だ。

ランニング用品
貯金をして、半袖のトップスを買う。

準備運動
変更なし。今の調子で頑張る!

走り方
スタートから飛ばしすぎず、フィニッシュに向けてペースを上げて
いく。

すると、みるみる改善の効果が出始めた。

第1週	3分25秒
第2週	3分27秒
第3週	3分21秒
第4週	3分15秒
第5週	3分12秒

かなりいい調子だ。ランニングに影響するすべての要素を微調整
したところ、タイムがどんどんよくなってきた。一見ささいな改善
が積み重なって、大きな効果を生みだす。なにより感動したのは、
走るのがますます楽しくなったことだ。

そんなぼくの様子を見ていたアンドリューも、オリジナルの作戦をあみ出して……。そうやってぼくたちは互いを刺激しあって、ますますタイムを伸ばし、しまいにはブロックをいっしょに走るまでになったんだ。

　ふたりで走るので、どっちかが少しでも気をぬくと、もう片方が黙っちゃいない。そしてついに、ぼくは3分の壁を破り、その後数週間にわたって、さらにタイムを伸ばした。

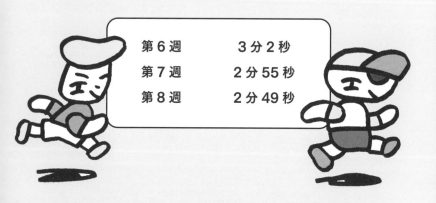

第6週	3分2秒
第7週	2分55秒
第8週	2分49秒

　アンドリューも自己ベストを更新し、ぼくは自慢のお兄ちゃんだと思った(そのときは口に出していないけど)。その後もぼくたちはトップ争いを続けたわけだけど、この競争のおかげで、ふたりの走力は確実にレベルアップした。

　ちなみに、ぼくたちは今でも記録帳を持っていて、両親は今でも当時の家に住んでいる。そしてブロックもまだチャレンジャーを待っている。きみがイギリスのレディングに行ったら、トライしたくなるかもしれないから念のため……。

テスト勉強のマージナル大作戦

——— 評価と改善 ———

マージナル・ゲインのすばらしいところは、目標達成に向けてあらゆる面で、準備をよりよいものにしてくれることだ。

たとえばテスト対策。試験が迫ってくると、勉強しなきゃいけないことが山ほどあると焦り、パニックになりがちだ。そんなとき、マージナル・ゲインの手法は**きみの不安も和らげてくれる。**

なぜかって？　やるべきすべての勉強を小さなパーツに分解することで、「試験当日までに全部の勉強が間に合う」という安心感を持って、順にこなしていくことができるからだ。

それじゃあ、ブロックでみごとトップになれたマシュー（つまり12歳のぼく）が、今度は成績アップにマージナル・ゲインの手法をどのように応用したのかを見てみよう。

目標

テストの成績を去年よりアップする。

勉強プラン

各科目の勉強を小分けして、空いている時間に残らず割りふる。そうして作った計画表に沿って勉強し、休けい時間も定期的に入れる。そうすれば勉強の進み具合を心配しすぎたり、疲れたりしないで、すべての準備をスムーズにこなしていける。

勉強机

ぼくの机はグラついて不安定だ。勉強しているときにガタガタするので、書いた字が読みにくくなる。修理をするか、または脚の下に何かをはさんで調整する。

照明

目をこらして本を読まなくてすむように、スタンドの電球を明るいものに取りかえる。

運動

休けい時間の少なくとも１回を使って、ブロックを走る。お兄ちゃんを負かしたいだけでなく、運動は試験勉強のストレス解消にぴったりだ。

鉛筆とペン

模試のとき、鉛筆を削ったり、ペンのインクが切れて先生に代わりのペンをもらったりして、最初の数分をムダにしてしまった。前もって筆箱を点検して、貴重な時間をムダにしないようにする。

過去の試験問題

過去数年分の試験問題を手に入れる。それによって試験官がどこにポイントを置いているかがわかる。また、質問の表現に慣れておけば、実際の試験でまごつかなくてすむ。

自宅で試験の予行練習をする

たぶんこれが最も重要だ。試験と同じ状況にして、自分の部屋で試験問題をやってみる。タイマーをセットし、実際のテストと同じ時間内に問題を解くことによって、本番であわてずにすむ。そして、できれば答案を先生に採点してもらう。効果を上げるには、フィードバックが必要だからだ。

ボディーシャンプー

体がかゆくなるようなボディシャンプーを買ってこないように、お母さんに言っておく。大事な日に、アリの巣の上に座ったみたいに体がチクチクしたら大変だから、ちゃんと試験に集中できるようにする。

マージナル・ゲインの取り組みをどこまで広げるかは、きみ次第だ。

大切なのは、
やり方が「効果的」で「実用的」で
「ポジティブ」なこと。

そして何かを改善した箇所については……

○効果があったかどうかを、ときどき確かめる。さらに改善するために新たな試みや手直しが必要なら、どんどん行う。
○うまくいかなかったら、そこから学ぶ。失敗こそは改善へのカギ。
○実践、実践……ひたすら実践をくり返す。
○根気強く、つねに冷静に、そして集中すること。正しく物事にのぞむ態度は、それ自体がメリットをもたらす。

　だけど、もしきみの目標が一発勝負で決まってしまうものだったら?

　たとえば、ダンスのパフォーマンスやスポーツの試合、あるいは何かの試験などだ。スゴイ子への長い旅が成功するかどうかが、たった1回の本番で決められてしまう場合は、どうしたらいいんだろう?

　というわけで次の章では、こうした本番を涙でなく、大成功で締めくくるにはどうすればいいのかを見てみよう。

今日からできるマージナル・ゲイン

本気でうまくなりたいと思っている課題に、マージナル・ゲインの手法をどんな風に取りいれられるか考えてみよう。

たとえば……

試験勉強
フルートの練習
詩を書くこと
外国語の習得
クラスでのディベート

そのほか何にでも応用できる！

目標が決まったら、マージナル・ゲインの実行計画を立てよう。まず課題を小さなパーツに分けて、その一つひとつについて、何か改善できることはないか考えてみよう。

YOU ARE AWESOME

CHAPTER
7

大事な本番で役立つ！
プレッシャーを
消す技術

2000 年のシドニーオリンピックで、
ぼくは大失敗をしでかした。

「それだけは起こってほしくない」というサイアクの事態だった。

初戦を迎えたぼくは、カーテンの後ろで待機しながら、自分の名前が場内でアナウンスされるのを待っていた。対戦相手はピーター・フランツというドイツの選手。フランツもぼくと同じように野心があり、勝利を熱望していた。でも、彼のフォームは研究しつくしていたので、ぼくは勝てると自信を持っていた。

対戦する準備は万全だった。トレーニングキャンプを重ね、心理学者や栄養士などの専門家チームからもアドバイスを受けていた。コーチは、メダルが取れると太鼓判を押してくれて、ついに夢がかないそうだった。しかもぼくは選手として絶頂期にあった。

ところが、カーテンの向こうの、まばゆいライトに照らされた競技場へ足を踏みいれたとたん……

ぼくは、大観衆に、のまれてしまった。

その瞬間…

すべてがオジャン になった。

対戦相手のフランツのサーブで、試合がスタートした。別にどうってことのない球だった。打ち返すのはカンタンなはずだったが、ぼくは手こずった。稲妻のような自慢の反射神経が、いつになく鈍い。どうして相手はいともカンタンに点を取れるのか、ワケが分からなかった。しかも事態は……

ますます悪くなる。

何が何でもこの試合に勝ちたかったのに、もうぼくの中に「スゴイ子」はいなかった。世界レベルの試合ではまったく歯が立たない「ふつうの子」に、もどってしまったようだった。

会場を埋めつくした大観衆の前でぼくはボロ負けし、屈辱をなめた。いったい何が起きたのか——

コーチはたったひと言、こう言った。

マシュー、
きみは、あがったんだ。

あがるのを防ぐ6つの方法

スポーツや発表会などの本番でいちばん肝心(かんじん)なときに、ありえないような失敗をしてしまう。そんな状態を説明するのに使われる言葉——それが**「あがる」**。

突然(とつぜん)思いどおりの動作ができなくなるわけだから、本人にとってはものすごく苦痛な経験だ。

まず言っておきたいのは、**緊張(きんちょう)してあがるのは自然**だということ。何か脅威(きょうい)を感じるものと直面したとき——試合の相手から試験の用紙まで——脳は**「アドレナリン」**というホルモンを体じゅうに放出させる。このアドレナリンが、ぼくたちの心臓の鼓動(こどう)や呼吸を速める。

そして、次の3つの物理的反応のどれかに備えさせる。

①脅威と戦う
②脅威から逃(に)げる
③その場ですくむ（フリーズする）

この反応は、**「戦うか逃げるかすくむか反応」**と呼ばれ（ホントだよ！）、ぼくたちを生きるか死ぬかの問題に集中させて、生き残れるようにしてくれるものだ。

ところが困るのは…

こうした警戒態勢が、
ときどき「あがる」状態を
引き起こしてしまうことなんだ。

じゃあ、あがるのを防ぐには
どうすればいいか、6つの方法を教えよう。

①

まず知っておくべき大事な点は、

あがるのは完全に正常な反応だということ。

だれもが不安にかられる。そう思うだけでも、少しラクになる。
ちょっと時間をとって散歩してきたり、腕をブラブラゆり動かした
りして、アドレナリンを鎮めよう。

自分の呼吸に意識を集中してみよう。

　体が警戒態勢に入ると、脳もパニックを起こしやすいんだ。ほんの数秒で、冷静で落ち着いた状態から不安に支配される状態に切りかわってしまう。サイアクだ。

　深呼吸は、そんなときにきみを助けてくれる、もうひとつの効果的な方法だ。息を大きく深く吸いこんで、ゆっくり吐くことに集中すると、気持ちがだんだん落ち着いてくる。

　ぜひ「4 - 7 - 8」を試してほしい。どこかの番地じゃないよ。不安を鎮める効果が検証されている方法なんだ。4秒かけて吸い、7秒息を止め、8秒かけてゆっくりと吐きだす。これをくり返すだけで、大きなリラックス効果があるから、やってみて！

あまり考えすぎないこと！

　たとえば、きみが今まさにペナルティキックを止めようとする
トップクラスのゴールキーパーだとする。セーブが成功するかどう
か、何万人ものサッカーファンが息をのんで見守っている。プレッ
シャーがのしかかる。

　それに押しつぶされそうになる前に、**「これはいつもやっている
ゲームにすぎないんだ」** と自分に言い聞かせよう。スタジアムで
プレーしようと、地元の公園で友人とプレーしようと、ルールは
同じ。**「いつもの公園にいるんだ」** というつもりになって、プレッ
シャーからスルッとぬけだそう。

　そうすれば、無意識のうちに身につけたワザをカンペキにやろ
うとして、頭で考えすぎちゃうこともなくなるはずだ。

4

自分の不安を「客観視」しよう。

　たとえば、今きみは何か特別なことをしようとしている。それは重要な試合かもしれないし、密（ひそ）かに気に入っているだれかに話しかけることかもしれない。きみにとっては、「一大イベント」に思える。まさにこの瞬間（しゅんかん）のために、準備に準備を重ねてきたんだから。

　そこでちょっとストップ！　その大イベントに夢中になるあまり、結果がどうなろうと人生はまだ続くことを忘れてない？

　それは**単なるチャレンジ**であり、たとえ結果が思うようにならなくても、**何かを学べる機会**だ。そんなふうに考えることは、きみ自身が自分にかけてしまったプレッシャーを上手に管理し、最高のパフォーマンスができるようにする、すばらしい方法だ。

これをやると気持ちが落ち着くという
「クセ」や「習慣」の力を借りよう!

実際、たくさんの人がやっている。

テストを受ける前にペットを散歩に連れて行くと効果があるなら、そうしよう。赤いパンツをはいていると暗記しやすいと思うなら、それもいい。

ロックバンド、コールドプレイのリーダー、クリス・マーティンは、ステージに上がる前に歯を磨かないと気がすまない。ぼくなんか、卓球のユニフォームの袖をよく切り落としていた。それで勝てると思っていたけど、そうじゃなかった。試合会場へ来る途中、ハサミで何かやらかした人と思われただけだった。

6

最も重要なこと。

それは、
「プレッシャーの下でパフォーマンスができること」
自体がひとつのスキルであり、
何度もくり返せばうまくなると知る」ことだ

たとえば、重圧の下で競技や演技をすればするほど、きみは
どんどん平静でいられるようになる。自分の神経をコントロール
し、それを使いこなす方法を身につけるからだ。

たとえプレッシャーに負けて大失敗しても、努力してきたものを
あきらめる必要はない。むしろ成長できるチャンスだからだ。

そう、プロテニス選手のビリー・ジーン・キングは言った。
「プレッシャーは問題ではなく、特権なのだ」

あがることは、ストレスの多い状況ならだれにでも起こりうる
——試験やデート、あるいは人前に出るあらゆる機会で。そんな
ときは、普段は何も考えずにできていること、たとえば歩くこと
なんかも突然できなくなる。何もないところでつまずいたり、平ら
なところで転んだりしちゃう。

でも心配しないで。この症状はまったく正常で、ふとしたきっ
かけで、ほとんどの人に起こることだから。

「ほんとうにだれにでも起こるんだ」とわかってもらうために、
いくつかの例を紹介しよう。

有名な失敗 その4

「こんな人でもあがる!」編

ジェニファー・ローレンス

　2013年にアカデミー主演女優賞を受賞したこの若手女優は、ステージに上がろうとした瞬間、床に崩れ落ちてしまった。もちろん、重いドレスや受賞による驚きと緊張のせいだったんだけど、おそらく人前で話さなければならないというプレッシャーも一因だっただろう。

ローリー・マキロイ

　2011年のマスターズ・オープン（世界4大ゴルフトーナメントのひとつ）で、マキロイは目を疑うような成績に終わってしまった。トーナメント最終日の前半まで1位だったマキロイは、まもなく大勝利を手にするかに見えた。

　だが、まさにそのとき、彼はあがってしまった。最終日後半のラウンドでプレッシャーに押しつぶされ、マキロイのスコアは大きく崩れた。あまりに多くのショットをしくじったため、マキロイは優勝を逃しただけでなく、なんと15位に終わってしまったんだ。

サイテーサイアクの事態を想像すれば、プレッシャーは消せる

○きみが不安に感じている課題やイベントがあるなら、それについて起こりうるサイアクの事態を、思いつくかぎり紙に書きだしてみよう。

○実際にそんなことが起こったら、どうすればいいか考えておこう。たとえば、舞台で演じているときにセリフを忘れてしまう可能性がある。そんな場合に備えて、だれか舞台の袖からセリフを言ってくれる人を見つけておく。そうすれば、芝居が一瞬とぎれるだけですみ、悪夢のような事態を未然に防げるだろう。

YOU ARE AWESOME

CHAPTER
8

もうだれにも止められない。
きみはスゴイぜ！

というわけで、ぼくは卓球のスゴイ子になるべく、ガレージでの練習に多くの時間を費やした。おかげで、ヨーロッパユース選手権でも上位の成績をおさめるまでになった。でも、まだまだ自分の能力を伸ばすために、もっと難しい練習が必要だった。

　ちょうどそんなときだ。小学校時代の熱血コーチのチャーターズ先生が、ノルウェーのベルゲンというところにいるトップコーチにぼくを特訓してくれるように頼んでくれたのは。

　ベルゲンまでのチケットは、お母さんが前もって買ってくれた。地元の旅行会社まで行き（そのころは、インターネットもケータイ電話もまだなかったので）、20時間のバス旅行の代金を支払ってくれたんだ。

　ぼくは「ブロック」をひとっ走りしてから（タイムは2分49秒だった）、卓球のラケットと保温性のある衣類（ノルウェーの寒さに備えて）を何枚か、それにノルウェーの通貨クローネをいくらか持って出発した。

　バスに乗りこむと、ぼくは座席でくつろぎ、マイケル・ジャクソンをくり返し聴いた（なんせ1980年代だから）。長編ファンタジーの『指輪物語』も少し読み、それから前の列に座ったドイツ人の若者たちと仲良くなった。そういえばノルウェー行きにしてはドイツ人がやたら多くて、ノルウェー人はひとりもいなかったな、と気づいたのはだいぶ後になってからだ。

　約18時間後、バスは有名なドイツの高速道路「アウトバーン」を走っていた。「イギリスからノルウェーへ向かうのに、なんでドイツを通るんだろう？」という思いがちらっとよぎったが、あんまり深く考えなかった。ユルゲンとクラウスのために、バスの窓に向かってフォアハンド・スマッシュをして見せるのに忙しかったからだ。

　やがてバスが速度を落としはじめ、ユルゲンとクラウスは手荷物をまとめだした。もうお別れということで、ぼくたちはハイタッチを交わした。が、ちょっと待てよ、ここはいったい……？
　バスが着いた先は、なんとドイツのベルゲンだった。その瞬間に思い当たった。お母さんが買ったチケットは……

とんだベルゲンちがいだった。

　ベルゲンって町は、じつは2つあったんだ。

ぼくはそのとき 15 歳。ナビゲーション機能つきスマートフォンはおろか、両親に連絡できるケータイ電話もまだなかった。インターネットもなく、クレジットカードも持っていなかった。

　今思えば、バスがそのままレディングに折り返すかどうか運転手に尋ねるべきだったけど、ぼくはそうしなかった。そのかわり、ノルウェーまでヒッチハイクで行こうと決めたんだ。

言っておくけど、きみたちは絶対に
こんなことをしてはいけない。
とても危険で、そのうえちっとも面白くない。

　ある意味、これは不注意から切符を買いまちがえた話にすぎない。だけど、このぼくに起こったからには、どんなに成功する見こみが低くても、強い意志と折れない心でやりぬいた物語だと思いたいんだ。

この話をする意味は何かって？

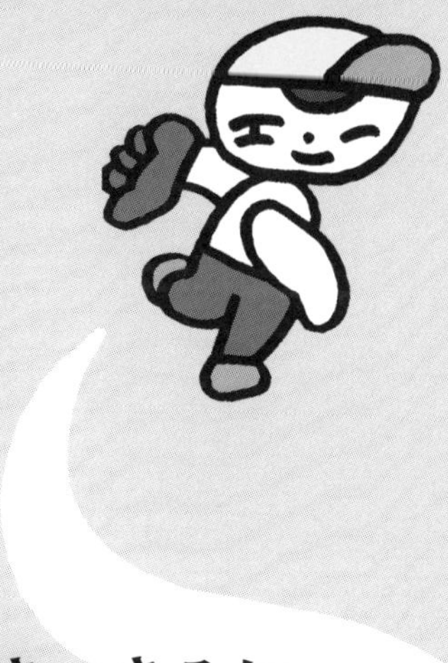

人生はときどき、きみに……

とんでもない変化球

を投げてくるってことさ。

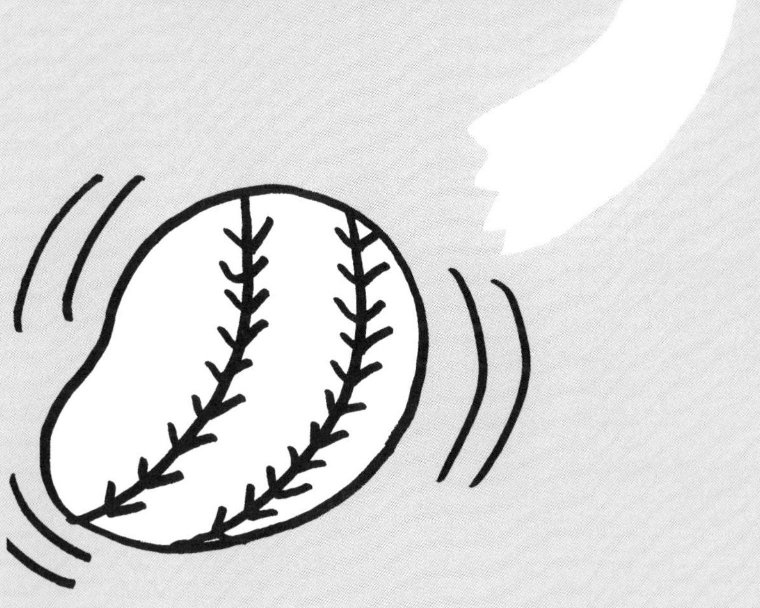

一生のうちには、「いったい、どうすればいいんだ?」と途方に暮れる瞬間が何度か訪れる。だれにでもやって来るし、きみにもきっと来る。その場所はたぶんドイツのベルゲンじゃないし、クラウスやユルゲンといっしょのときでもないだろう。でもいずれ起こる。だから備えるんだ。どんな困難なことにも取り組む用意をしよう。そして、しなやか系マインドセットで立ち向かうんだ。

結局、ぼくはなんとかノルウェーにたどり着けた。予定より4日遅れて。ノルウェー人の卓球コーチ、ピーターが、ぼくと会えなかったことをお母さんに連絡したので、国際警察がぼくを捜索する騒ぎになっていた。

さらに悪いことに、ノルウェーへ向かう途中、デンマークの駅のベンチでねむっている間に、ぼくはいっさいがっさいを盗まれてしまった。だからノルウェーに着いたときにはパスポートすらないし、ノルウェー・クローネや保温性のあるベストもとっくになくなっていた。おかげで死ぬほど寒かったけど、とにかく無事に着いた。

で、肝心の卓球のトレーニングはどうだったかといえば、

最高だったよ!

どの旅を選ぶにしろ、
どうやってたどり着くかは問題じゃない。

大切なのはスタートを切ることだ。

うまくいかなければ、歯をくいしばって頑張ろう。
そうすれば、いつかはゴールにたどり着く。

道のりは険しいだろうけど、
それだけの価値が、きっとある。

まちがったことがない人とは、
何も新しいことを
試していない人だ。
失敗をコワがらなかった偉大な科学者
アルバート・アインシュタイン

ぼくは郊外の町で育ったごく**ふつうの子**だった。人より秀でたものは何もなかったんだ。だけど、ぼくは徹底的に練習し（正しい方法で）、自分の誇りである意欲と集中力を持って何ごとにも努力した。

　ぼくの望みは、偉大な卓球選手になることだった。結局のところ、ぼくは卓球選手として名を残さないだろう。

　でも、卓球がすごくうまくなったし、最高に楽しんだ。選手として世界じゅうを旅して、行く先々ですばらしい人びとに出会えた。

　文章を書くことについても同じだ。ぼくが書き始めたころの文章は、お粗末なものだった（編集者はきっと、とんでもなくお粗末だったと言うだろう）。でも、どうしても文章がうまくなりたくて、ものすごく努力した。それは、今でも変わらない。

　書き続けてもう20年になるのに、記事を書くたびに、本を書くたびに、**今度こそ最高傑作にしよう**と思って書いている。カンタンにあきらめることは絶対にないし、100パーセント全力を注がないかぎり、けっして満足することはない。

きみがオリンピックで優勝できなくても、ノーベル賞を取れなくても、首相になれなくても、**そんなことはどうでもいいんだ。**4日遅れてノルウェーに着いたって関係ない。ほかの人がきみより上手だって、それもどうでもいいことだ。

いちばん大事なのは、
きみが目標に向かって
チャレンジすることなんだ。

リスクをコワがらず、思いきって失敗し、全力を出すんだ。

つねに精いっぱい、
最高の自分になることだけを目指せ。
そうすれば、必ずスゴイことを達成できる。

だって……

きみはスゴイ

んだから！

伊沢拓司

　楽屋に入る。衣装を選ぶ。ヒゲをそる。メイクをしてもらうあいだに台本を読む。共演者について調べる。歯を磨く。打ち合わせをする。話せそうな雑学を確認する。呼ばれてスタジオに入る。

　テレビに出るとき、ぼくはこんなことをしている。毎回毎回だ。

　これはおそらく、ほかの出演者も同じだ。人を笑わそうとしている人も、共感を呼ぶ人も、話を仕切る人も、かわいい顔のあの娘も。見る人がただただ「楽しい」と思ってテレビを眺められるよう、出演者やテレビマンたちは見えないところで努力を続けている。

　だからって「テレビを見ながら感謝しろ！」などと言うつもりはない。きみはテレビを楽しく見れば100点満点だ。しかし、「テレビに出てる人って、ただ楽しくしゃべってればいいから、うらやましいよな」と思いながら見るか、「この番組を作るためにはきっといろんな努力があるんだろうな」と思いながら見るかで、**きみの世界は変わる。**

　人の努力を想像すると、自分がどうすればいいのかというお手本がひとつ手に入る。想像しなければお手本はゼロだ。

　ぼくは、お手本をもらうほうを選んだ。笑いを取れるわけでもないし、かわいい顔してもいない。でもテレビに呼ばれた。なら、テレビに慣れている人のことをお手本にしようと思ったのだ。

そもそも、ぼくは芸能人ではない。クイズプレイヤーだ。クイズに答える人。なのにテレビに出ているのには、理由がある。

　ぼくはクイズが好きだったからクイズの会社を作った。会社っていってもちっぽけなヤツで、仕事を始めたころ、ぼくは貧乏で家にインターネットが通ってなかったものだからマクドナルドのWi-Fiで作業をしていた。コーヒー1杯100円で朝日がのぼるまで粘った。同じころ、ぼくはテレビでの戦いを勝ちぬき、クイズ番組のレギュラー出演者になった。またとないチャンスだったから、たくさん勉強した。テレビ経由でクイズの会社について知ってもらえることも増え、ぼくは会社の宣伝のためにいろんなテレビに出ることにした。

　クイズ番組では、クイズが強ければ居場所を確保できる。しかし、そうじゃない番組には、その番組なりのルールがある。しかも、それはどんな教科書にも書いていない。いざ番組に出てみてからそのことに気づいたんだけど、もう遅かった。ルールがわからず、つまりやり方もわからずにたくさん出た。

　おんなじ番組に2回目呼ばれなかったら、その出演はたぶん失敗。話の輪に入っていけなかったり、いざしゃべってみても役に立つことが言えなかったり……呼ばれなくなるのも、自分で納得だった。**ぼくは面白くもなく、役に立ってもいなかった。**

　どうすればよいのだろう。会社のことをみんなに知ってもらういい機会なのに、できないのはイヤだ。うかうかしてると、もっと上手になっただれかに、ぼくが座っていた席を奪われてしまう。

　そこで、ぼくはこんなことをした。

自分の出演した番組と、
同じ番組の自分が出ていない回を見比べた

　自分がその番組に入ることで何が変わったか、どう面白くなったかを確認した。残念ながら、ぼくはあまり面白くなかったし、せっかくクイズが出てもグイグイ答えていなかった。もっと積極的にしゃべり、自分らしい「知的な」説明で他人と差をつけなきゃ。

他の上手な芸能人を見て、マネした

　ふつうの芸能人が当たり前のようにやっていることが、ぼくにはできていなかった。**だから彼らの「当たり前」を探しだし、マネするところから始めた。**よくよくテレビを見ていると、芸能人はみんな背筋をピンと伸ばして座っている。対するぼくは、焦(あせ)りと居心地の悪さから明らかに前かがみだった。しゃべるときの滑舌(かつぜつ)も、みんなぼくより良かった。ぼくは、姿勢を直し、滑舌の先生にコツを聞きに行った。

質問をするようにした

　スポーツ選手が試合に出られるのは、その人に役割があるからだ。こうしてほしい、という思いを込めて、監督(かんとく)は代表を選ぶ。ぼくも同じだ。ぼくが番組に呼ばれたことには、きっと意味がある。**何かをしてほしいから呼んでいる。ならば、その理由を聞けばいい。**こんな単純なことにすら、ぼくは気づいていなかった。そのときから、打ち合わせのときによく質問をするようになった。何をすればいいかがわかったら、オロオロしなくなって自信が出て

きた。

　そして、段々と「2回目の出演」が増えてきた。自信を持って、自分がやるべきことに集中できるようになった。そうすると余裕《よゆう》ができる。余裕があるから、よく笑える。余裕があるから、少しだけチャレンジできる。面白いことを言ってみたり、ちょっとした雑学をアドリブで披露《ひろう》してみたり。**チャレンジしていなかったのが、成功も失敗もできるようになった。**

　そんなことをしている間に、ぼくは気づいた。**これって、クイズが強くなるときとおんなじだ。**

　クイズがうまい人のやり方を聞いたり、うまい人のマネをしたり、自分がまちがえた問題をまとめたりして、ぼくはクイズの実力を上げていった。そこには多くのお手本となるクイズ王がいて、そのクイズ王たちをマネして毎日何時間も研究した。やっていることは、それと同じだ。

　そう、そこでやっていたことこそ、この本に書いてあることとおんなじなんだ。

　自分に起こっている問題を小さく分解して、少しずつ解決していくマージナルゲイン。マージナルゲインのための、毎日の練習。それを続ける「単なる忍耐《にんたい》」。ブレーキをかけないこと。

　そしてなにより、うまくいっている人はみんな努力と挑戦《ちょうせん》をしている、ということ。

　クラスの人気者であるアイツは、まず「面白いこと」を考える努

力をして、さらに「つまらない！」と言われる覚悟で「面白いこと」を言っている。

　それはテレビでも同じ。みんな努力と挑戦を繰り返して、ようやくテレビの前に座っているのだ。それは生まれつき面白かったわけじゃなく、見えないところで努力して、それを披露するための**勇気を出したからなんだ。**

　この本に書いてあるマシューの人生は、あくまでマシューひとりのもので、ひとつのお手本でしかない。でも、マシューが言っていることは、いろんなお手本をまとめて導きだされたすばらしいものだ。

　マシューは、いろんな人のエピソードを集めて、そこに自分の経験も足し合わせて、**「これだけはみんなに共通しているだろう」**という部分をぬきだした。**それはいわば、世界中の美味しい食材の、さらに美味しいところだけを使って作ったカレーのように最高だ。**

　人生というのはいくらお手本を見ても、教科書を眺めながら解いても OK というルールのゲームだ。ただし、お手本や教科書を見つけるのは難しいし、そこに書いてあることが正しいとは限らない。

　だからこそ、最高の教科書とともに進もう。ナイスなお手本を、さらにギュッとまとめたものだから、まちがいなく最高だ。勝手にぼくの人生も足しちゃったけど、マシュー、許してほしい。

　さあ、きみの頭の中には、もうアイテムがそろっている。それ

をうまく使えば、**きっと明日は今日より「スゴイ子」になっている
はずだ。**ただひとつ、自分の中から出さなきゃいけないものがあ
るとしたら、それは勇気だ。「ラクダその2」だったエマのように、
へこたれない勇気だけは自分の中から出さなきゃいけない。

　でも、勇気についても、きっとだいじょうぶだとぼくは思う。だっ
て、きみは何かを上達するための、良い方法を手に入れたんだ。
それだけで一歩リードしている。そして、きみの心に残り続けて、
いつだって少しの勇気を分けてくれる言葉が書いてあったはずだ。
この本を手にとったときにも、**そして最後まで読み切ったときにも、
きみはエールを送られていたんだ。**

そう、
「きみはスゴイゼ！」

ぼくからももう一度、この言葉をきみに贈ろう。

参考文献

『子供が確実に夢を叶える方法　そのために親がすべきこと』
伊藤美乃り・著（スターツ出版）

著者

マシュー・サイド
(Matthew Syed)

作家、英『タイムズ』紙コラムニスト。元卓球選手で、現役時代には全英チャンピオンに4度輝き、オリンピックに2度出場。オックスフォード大学哲学政治経済学部を首席で卒業。本書は『サンデータイムズ』紙ベストセラー1位獲得、ブリティッシュ・ブック賞の2019年ベスト児童ノンフィクションに選ばれるなど、少年少女向けのビジネス書として異例のヒットを記録。BBC『ニュースナイト』やCNNでコメンテーターとしても活躍。恵まれない子どもたちをスポーツ指導で支援する慈善事業にも携わる。二児の父。著書に『非才!』(柏書房)、『失敗の科学』(ディスカバー・トゥエンティワン)がある。

日本語版序文・解説

伊沢拓司
(いざわ・たくし)

日本のクイズプレーヤー＆YouTuber。
開成中学・高校を経て、東京大学経済学部を卒業。東京大学農学部大学院中退。「全国高等学校クイズ選手権」2連覇。㈱QuizKnock CEO。WEBメディア『QuizKnock』の初代編集長を務め、登録者100万人を越える同YouTubeチャンネルでも活動する。TBS系『東大王』『グッとラック!』にレギュラー出演中。著書に『勉強大全』(KADOKAWA)など。
Twitter @taxi_i_
QuizKnock https://quizknock.com/

訳者

竹中てる実
(たけなか・てるみ)

翻訳者。上智大学大学院修士課程(国際関係論専攻)修了。訳書に『残酷すぎる成功法則』(小社刊)がある。

YOU ARE AWESOME
by Matthew Syed

きみはスゴイぜ！　一生使える「自信」をつくる本

2020 年 7 月 3 日　第 1 刷発行
2022 年 5 月 8 日　第 6 刷発行

著者　　　マシュー・サイド

訳者　　　竹中てる実

日本語版序文　伊沢拓司
・解説

発行者　大山邦興
発行所　株式会社 飛鳥新社
　　　　〒 101-0003
　　　　東京都千代田区一ツ橋 2 − 4 − 3　光文恒産ビル
　　　　電話（営業）03-3263-7770（編集）03-3263-7773
　　　　http://www.asukashinsha.co.jp

ブックデザイン　井上新八
イラスト　　　　福田とおる

印刷・製本　中央精版印刷株式会社

ISBN　978-4-86410-759-4
© Terumi Takenaka 2020, Printed in Japan

編集担当　矢島和郎